afgeschreven

Waar het geld bleef

Kevin Canty

Waar het geld bleef

Vertaling Frans van der Wiel

De Harmonie Amsterdam
Manteau Antwerpen

Voor Aryn

Inhoud

Waar het geld bleef

Toen het eenmaal voorbij was ging Braxton aan de keukentafel van zijn flat zitten en probeerde erachter te komen wat ze met het geld hadden gedaan.

Een deel was naar scholen gegaan, goede privéscholen natuurlijk – de hippieschool voor Lucinda en de Spaanse school voor Steve. De hippieschool werd bestuurd door de ouders. Braxton herinnerde zich een oudervergadering die hij zwetend en dronken had uitgezeten: welgestelden en juridisch geschoolden die hun stemmen op elkaar uitprobeerden. Het hield niet op. Net of je weer in de brugklas zat, scheel van verveling, op hete kolen. Die ouderparticipatie was ook nog duurder dan de Spaanse school, tien mille per jaar tegenover zes. Plus de naschoolse opvang. Plus Brenda, de oppas. De kunstlessen in de weekends, de tennisclinics, het zwemmen.

Niet dat de openbare scholen zo slecht waren. Die waren prima.

Een deel was naar auto's gegaan, hoveniers, kleren, vakanties. Ze waren voor de kerst met z'n vieren naar Honolulu gevlogen, met Presidentendag naar Vail om te skiën. Hij was met potlood en envelop (hij had vijftigduizend dollar extra krediet gekregen) gaan zitten om te proberen erachter te komen hoe het kon dat een eenvoudig skiweekend zoveel kostte: liftkaartjes, lunches, de brede parabolische ski's die hij voor zichzelf had gekocht en daarna, uit een soort schuldgevoel, ook voor zijn vrouw. De ski's die hij voor zichzelf had gekocht waren geen weggegooid geld, vond hij. Hij was een redelijke skiër, had er plezier in. Nee, de ski's die hij zijn vrouw had gegeven in de hoop haar aan te moedigen, dat was wel zonde. Ze had ze dat weekend gebruikt en daarna nooit meer. Vijfhonderd voor de ski's, honderdvijfentwintig voor de bindingen. En dan uiteraard nog de nieuwe schoenen.

Weggegooid geld, vond hij.

De snorkeluitrusting, de surfplank, de mountainbike. Een Klein, herinnerde hij zich. Hij was maanden bezig geweest met uitzoeken wat de absolute top was. De kleine, waanzinnig dure fiets die hij voor Steve had gekocht zodat vader en zoon langzaam rondjes over de speelplaats konden draaien op hun duizend-dollarkarretjes.

Ze hadden een feest gegeven toen het zwembad klaar was. Iedereen die ze kenden, onder de lichtjes. Braxton had alleen al aan de slijter duizend dollar gespendeerd, om maar te zwijgen van de catering, de feestverlichting, het zwembad zelf. En toen was ze dronken geworden, vroeg op de avond al, een ongelukje omdat ze vergeten had te eten. Het gebeurde niet continu of zelfs vaak, maar ze vond het heerlijk om dronken te zijn. Ze holde rond het zwembad, kletsend en flirtend in het schemerige licht. Ze stond met haar rug naar het bad met de Andersons te praten toen ze die ene langzame, achteloze stap naar achteren deed en haar evenwicht verloor. Hij zag haar langzaam achterover in het water kiepen, zag haar jurk in het onderwaterlicht als een vrolijke, kleurige bloem om haar heen opengaan en op dat moment had hij geen hekel aan haar. Juist op dat moment had hij van haar gehouden.

Toen hoorde hij het gefluisterde woord 'dronken'. Het werd rondom hem doorgegeven, van de een naar de ander.

Toen ze eruit kwam kon het haar niet eens wat schelen, ze liep de rest van de avond in haar natte jurk rond, met tepels die door het natte katoen priemden.

De parka's, de stereosets.

De middag dat hij erachter kwam hoe slecht het ervoor stond, hoe slecht het zou worden, zat hij op hun slaapkamer met uitzicht op het zwembad. Als hij van zijn rekeningen en gecijfer opkeek, zag hij Steve op een zilverkleurig plastic vlot in het diepe dobberen, urenlang, met gesloten ogen. Hij was net tien en dik geworden, 'stevig' noemde zij het. Telkens als Braxton opkeek lag zijn zoon daar, onbeweeglijk te drijven. Hij heeft het van haar, dacht hij boos. Dat slome. Hij bekeek zijn zoon met afkeer.

De rest van het geld, het weinige dat over was, ging naar advocaten.

De ijskeizer

De zomer waarin hij bijna zijn broer had omgebracht zat Lander achter de balie van de universiteitsbibliotheek te kijken naar de meiden die in hun zomerse shorts en jurkjes langskwamen. Er was weinig uitleen, maar de meisjes kwamen vroeg of laat op de dag om aan de lange rijen computers hun e-mail te checken, soms met hun natte badpak nog onder hun kleren. De meisjes droegen allemaal watersandalen en hun voeten waren zongebruind. Het was die hele zomer heet – maanden zonder regen of zelfs maar wolken. In de koele stilte van de bibliotheek had Lander het gevoel dat de hele wereld buiten plezier had zonder hem.

De dokters zeiden dat Tim het ongeluk waarschijnlijk had overleefd doordat hij dronken was geweest. En het was maar goed dat Lander die avond had gereden: hij was door de blaas- en de bloedtest heen gekomen, al was het maar net. Het maakte niet uit. Zijn ouders hadden dan wel geen familieberaad gehouden om officieel te laten weten dat hij eruit lag, maar ze drongen er niet meer op aan dat hij ieder weekend thuiskwam. Ze hadden hun eigen problemen.

Zijn zus Jen pendelde die zomer ook van en naar de

stad; ze moest de laatste drie studiepunten halen voor haar akte Engels. Jen ging elke vrijdag naar Bigfork en kwam zondags terug, terwijl Lander de weekends in de ijssalon werkte, maar ze had nooit veel te vertellen als ze terugkwam. Lander had de indruk dat ze daar aan het meer vooral aan haar bruine teint werkte. Hun ouders waren dat voorjaar gescheiden en hun vader was op een veertien meter lang motorjacht gaan wonen dat aan de steiger bij de Marina Cay lag, pal onder de ramen van hun oude flat, waar zijn moeder nog woonde. Tenminste, dat was wat Lander had gehoord. Hij was er nog niet wezen kijken.

Dag na dag na dag steeg tot boven de dertig graden en bleef daar tot de avond. De zon scheen altijd fel en de lucht was strak, wolkeloos blauw. De bibliotheek was altijd stil en koel en bekleed met knappe meiden die niets met hem te maken wilden hebben. 's Avonds kwamen diezelfde meiden naar de Orpheum, de ijssalon, voor mandarijnsorbets en cake en ijshoorntjes. Dan stonden ze onder de lampen te lachen en aan hun ijsjes te likken terwijl Lander met koude, schrale handen de ene na de andere bestelling uit de vriesbakken schepte. Wespen cirkelden en zoemden rond de plafondverlichting. De zomer was buiten, buiten in de avond.

En opeens kwam half augustus het telefoontje dat Tim uit het verpleegtehuis in Kalispell naar huis kwam.

Lander zou er met zijn zus heen rijden maar hij moest die vrijdag tot vijf uur werken. Jen vertrok rond het middaguur zonder hem. De bankklok gaf, toen hij eindelijk de stad uit kon, 39°C aan en de airconditioning van zijn auto werkte niet goed. Hij sukkelde dertig kilometer naar het noorden langs de meest ingrijpende grote weg-werkzaamheden uit de wereldgeschiedenis, ingeklemd tussen een olifantenstoet van reuzencampers, terwijl het stof door de ramen naar binnen woei en het dashboard onder stoof. Af en toe draaide hij de ramen dicht en ver-beeldde zich dat dat koeler was. Tegen de tijd dat hij in Bigfork aankwam, was hij zo droog geblazen, zo stoffig en verschroeid dat zijn eerste stappen hem over het par-keerterrein naar de jachthaven voerden, meteen het koude heldere water van het meer in.

Een heerlijke, verblindende kou sloeg in één klap door hem heen in het koude water, een gevaarlijke ge-lukzaligheid. Hij bleef zolang hij kon onder water om alle hitte en stof van zich af te spoelen. Toen hij boven-kwam en de druppels uit zijn ogen schudde, zag hij zijn vader voor zich, die naast een vreemd uitziende buurjongen op het dek stond van de grootste motor-boot die Lander ooit had gezien. De letters op de ach-tersteven vormden het woord *Lucky Me.* Zijn vader droeg een pet met een lange, vogelbekachtige klep en een ingewikkeld overhemd met veel zakken, kleppen en knopen. Ondanks zijn zout-en-peperkleurige baard leek hij niet echt op Hemingway.

'Zou je je broer niet eens gedag zeggen?' vroeg zijn va-der.

Eerst begreep Lander het niet, toen begon er iets te da-gen en keek hij nog eens naar de vreemd uitziende buur-jongen die hij een jaar of twaalf had geschat, en zag dat het in werkelijkheid Tim was, of een kleine, gekrompen versie van hem. Hij zag er nietig, mager en broos uit en Lander voelde een scheut van angst door zich heen gaan vanwege de toegebrachte schade.

'Jezus christus,' zei Lander. 'Kom in het water.'

Tim grijnsde naar hem en het was hem echt, alleen kleiner en vermoeider. Hij vroeg: 'Is dat je portemonnee?'

Lander tastte onder water naar zijn achterzak en het was inderdaad zijn portemonnee. Zijn vader zag het. Tim lachte.

'Gierigaard,' zei Tim.

'Kierkegaard zul je bedoelen,' zei Lander. Hij zwom naar de steigerladder en klauterde omhoog, druipend, om daar zijn broer te omarmen. Wat klein was hij nu! En bleek, bijna doorzichtig.

'Wat een joekel van een boot,' zei Lander tegen zijn vader, die op het dek stond te wachten.

'Dat was ik vergeten,' zei zijn vader die hem op zijn overdreven stoere manier een hand gaf. 'Je had hem nog niet gezien. Ik zal je even rondleiden.'

Achter zijn vader zat een onnatuurlijk knap, gebruind stel in bijpassende ligstoelen op het achterdek van de boot naar hem te stralen. Ze waren ergens in de veertig of zelfs begin vijftig, maar zagen er allebei fit, uitgerust en enthousiast uit – net enthousiaste, strak aangelijnde golden retrievers, dacht Lander. Hij was bang dat ze zouden opspringen en hem gaan likken.

'Steve en Polly Langendorf,' zei zijn vader. 'Dit is mijn zoon Lander.'

Ze bleven in hun stoel op hem wachten en bij het handen schudden realiseerde Lander zich dat hij druipnat en bleek en bijna een beetje te dik was door zijn saaie zomer. Zijn moeder keek vanaf de flybridge op hem neer en begroette hem verlegen. Zijn móéder! De vorige keer dat hij thuiskwam had pa een vriendin en ma een advocaat.

'Zware reis gehad?' vroeg ze. 'Dag, schat. Je ziet er moe uit.'

'Gaat best,' zei Lander. Maar het feit dat ze hier allemaal al waren zonder dat hij was uitgenodigd gaf hem een rare smaak in de mond, als van koperen munten of artisjokken. Oké, hij was wel uitgenodigd, maar pas heel laat. Hoe lang was dit al aan de gang?

'Niet te kort, die boot,' zei Lander.

'Twee Chryslermotoren,' zei zijn vader, toen ze door de salon en het stuurhuis kwamen. 'Als je het geld hebt om het beest te voeren, dan is ie niet meer te houden.'

Benedendeks lagen overal getuigen van een slordig mannenleven: wasgoed, vuile vaat, de Telecaster die Lander nooit goed had leren bespelen en die Tim ook had opgegeven. Er hing een ingelijste foto van de boot aan de wand van de grootste hut, waarvan Lander diezelfde smaak weer in zijn mond kreeg. Het was griezelig gewoon, die hele bedoening.

'Ik heb honger,' zei zijn zus ergens vlakbij. Hij had haar nog niet gezien.

'We hebben met eten op je gewacht,' zei zijn vader – alsof dat iets heel speciaals was, iets anders dan de dagelijkse gang van zaken. En daar had je zijn vaders gigan-

tische, onopgemaakte bed in de achterkajuit! Even ver-
langde Lander weer naar de koele stilte van de bibliotheek, waar alles begrijpelijk was. Oké, daar voelde hij
zich ook rot, maar wist hij tenminste waar het aan lag.

'En dit is het gastenverblijf,' zei zijn vader, terwijl hij
hem voorging naar de spits toelopende hut voorin, waar
twee mooie meiden in minikini onder de lichtluiken hun
teennagels zaten te lakken. Ja, een ervan was zijn zus
Jen, maar een ervan niet.

'Hoi,' zei Lander.

'Hoi,' zei zijn zus zonder op te kijken.

'Hoi,' zei het andere meisje. Ze liet hem even een gemaakt glimlachje zien en vervolgde haar werk; maar niet
voordat Lander had gezien dat ze knap was, opgetut
maar onverschillig. Ze had zo'n lui, kwijnend waas om
zich heen waar Lander op viel bij een meisje. Misschien
zat er iets voor hem in.

'Jij slaapt in de flat,' zei zijn vader. 'Tim maakt je wel
even wegwijs. Ik ga de barbecue aansteken.'

Lander keek spijtig om naar de twee meiden in badpak, maar die zaten met gebogen hoofd, geconcentreerd,
waren ergens anders. Zijn vader nam hem door het gangetje mee naar dek waar zijn broer onder de enthousiaste
blikken van de Langendorfs stond te wachten. Kleintjes,
bleek, broos.

'Wie is dat meisje?' vroeg Lander op weg naar boven.

'Eentje van Langendorf,' zei Tim. 'De dochter van Ken
en Barbie.'

'Ik dacht dat ze Steve en Polly heetten.'

'Kan ook,' zei Tim.

'Wat is er aan de hand?' vroeg Lander toen ze de hal van de flat binnenliepen. Er heerste een geklimatiseerde, grafkelderachtige rust. 'Godsamme, hé. Ik bedoel, probeerden ze elkaar de vorige keer niet af te maken?'

'Ze spelen toneel,' zei Tim.

'En wat moet dat met die kutboot?'

'Hij probeert ze dat huis van Inman te verkopen,' zei Tim, toen ze in de flat waren. 'Hij denkt dat hij een kans heeft bij die twee.'

Lander zette zijn tassen in de woonkamer. De flat was onveranderd sinds de laatste keer dat hij er was, misschien zelfs sinds zijn eerste keer: de schone, rustige anonimiteit van een goede hotelkamer. Er was geen spoor van zijn moeders aanwezigheid of van zijn vaders afwezigheid. Hij liep naar de koelkast en pakte een koud biertje, een van de drie, stelde hij somber vast. Straks bier halen. Zijn broer stond buiten op het balkonnetje te kijken naar de figuurtjes aan dek van de enorme boot. Die torende boven de andere boten aan de kade uit, als een vrachtschip in een jachthaven.

'Pa denkt dat het beter gaat als ze wat met hen aanpappen,' zei Tim. 'Hij heeft van de zomer een paar tegenvallers gehad.'

'Waar staat dat huis van Inman?'

'Bij Rocky Point, weet je wel?' zei Tim. 'We zijn er een keer met de kajak geweest. Dat huis met die nepwaterval.'

'Jee,' zei Lander. 'Twee miljoen?'

'Zeg maar acht,' zei Tim. 'De prijzen zijn hier krankzinnig geworden. Vandaar die boot, pa wilde een huis voor zichzelf kopen toen hij wegging, maar elk krot met een aanlegsteiger doet meer dan een miljoen. Hij kon niks betaalbaars vinden.'

'Dus kocht hij maar een fregat. Wat kostte dat ding, trouwens?'

'Geef hem een beetje de ruimte,' zei Tim plotseling. 'Hun alle twee. Het was een moeilijke zomer.'

Lander keek zijn broer aan: het smalle, gekwetste, gesloten gezicht. Ze zaten niet op één lijn. Dat hadden ze altijd gezeten, altijd op één lijn.

'Wil je bier?' vroeg Lander. 'Zal ik een biertje voor je pakken?'

Weer die gesloten, troebele blik in Tims ogen. 'Mag ik niet hebben,' zei hij.

'Oké,' zei Lander.

'Ik ga naar beneden om pa te helpen,' zei Tim. 'Pak jij je spullen maar uit.'

Lander keek hoe hij wegging, aanstalten maakte om te gaan, en voelde iets van paniek om het te zien. Wat gebeurde er? Zo waren ze nooit tegen elkaar geweest. Hij wilde iets zeggen, kon niet schelen wat, om Tim vast te houden. Uiteindelijk was het enige wat hij kon bedenken: 'Hoe gaat het eigenlijk met je?'

'Ik heb geen milt meer,' zei Tim. 'Ik schijn prima zonder te kunnen. Dat is het zo'n beetje. Ik mis dat verpleeghuis niet echt.'

'Het spijt me,' zei Lander.

'Zit er niet over in,' zei Tim. 'Ik heb niet het idee dat je het met opzet hebt gedaan.'

Hij grijnsde naar Lander op een harde, afstandelijke

manier en vertrok. Lander liep naar het balkonnetje, keek tot hij zijn broer weer voet aan dek zag zetten en ging naar binnen. Speelgoed-, speelgoed-, speelgoedboot, dacht hij. Het ding was drie keer zo groot als alles eromheen en lag wit in de zon te blinken. Hierbinnen rook het naar geparfumeerde zeep en tranen, het huis van zijn moeder.

Ze heette Beth maar noemde zich Soleil sinds ze naar de universiteit van Florida was gegaan, en die naamsverandering was een vergissing, gaf ze toe, maar het was te laat om erop terug te komen. Ze was behoorlijk stoned, net als Landers zus. Ze had vlechtjes in haar haar met kraaltjes aan het eind en een uitwaaierende tatoeage net boven haar kont, waar Lander nog niet goed zicht op had gekregen. 'Wist ik veel?' zei ze. 'Ik kwam koud van de middelbare school in Dallas. Nu zit ik aan een strippersnaam vast. Wat is jouw strippersnaam?' vroeg ze Lander.

'Ik wist niet dat ik er een had.'

'De naam van je eerste huisdier, dan de eerste straat waar je ooit hebt gewoond.'

'Ginger Fourth,' zei hij.

'Ginger de Vierde!' zei Soleil. 'Jezus, wat gaaf!'

'Ginger Ospreystraat,' zei zijn zus Jen, maar dat was lang niet zo goed, dat beseften ze allemaal. Er viel een korte stilte, waarin Lander zich een beetje een verrader voelde dat hij zijn oude liefde Ginger zo had gebruikt. Het was een gele labradorteef, zwemend naar oranje – een ongewone kleur – die moe en lief was en onvoorwaardelijk van hem hield, wat ze in haar grote, vermoeide ogen liet zien. Zijn hele leven had hij geprobeerd de liefde van die hond waardig te zijn en nu had hij haar verpatst voor een pornonaam.

'Ik wil vanavond uit,' zei Soleil. 'Ik wil zo zat worden als een tor, als een kleine, vliegende pleetor.'

'Dat kan,' zei Tim. 'Dat kan geregeld worden.'

Ze waren even oud, Tim en Soleil, en ze hadden allebei een toonbare valse identiteitskaart. Jen had die avond al afgesproken met haar verloofde Erik – ook een vastgoedbink, een vriend van haar vader met een mooi stel tanden – zodat Lander er een beetje bij zou hangen. Misschien. Ze zaten met zijn vieren aan het eind van de kade bij het natuurreservaat te kijken hoe de zon over het meer onderging. De heuvels aan de overkant waren leeuwkleurig en warm in het laatste zonlicht en het meer was kalm, vol kringen van vis die voor de avondhap naar de oppervlakte kwam. Jen had een zakje wiet meegenomen waardoor ze Soleils allerbeste boezemvriendin werd en zelfs Lander had een trekje genomen, waardoor hij loom en weemoedig werd. Ooit hadden hij en Tim aan ditzelfde stuk kade gestaan om die opkomende vis te vangen, totdat ze in de gaten kregen dat het allemaal kringen van katvisjes waren, niet de moeite van het vangen waard.

'Tering, wat is het hier gaaf,' zei Soleil.

De zon schoof zachtjes achter de Chief Cliffs aan de overkant, zes kilometer water verder. Toen hij weg was, verschenen er duizenden sterren tegelijk, ook een paar hoge vliegtuigen en mogelijk een satelliet. Lander vond het inderdaad gaaf en verder viel er niks te zeggen.

Net op dat moment stoomde de *Lucky Me* voorbij, een witte spookachtige reus in de avondschemering.

'Waar gaat hij naartoe?' vroeg Lander.

'Hij is op weg naar de benzinesteiger, geloof ik,' zei Tim. 'Ik denk dat ze daarna een borrel in Lakeside gaan halen.'

'Duizend dollar,' zei Jen.

'Wat?'

'Dat kost het om dat ding helemaal vol te gooien,' zei ze. 'Dat zei pa: drie tanks van negenhonderd liter. Ik heb Cameron Diaz vorig jaar in Lakeside gezien.'

'Je lult,' zei Soleil.

'Ze was wijn aan het inslaan bij de IGA in Lakeside,' zei Jen. 'Ze was met Christina Applegate. Volgens mij waren ze zo stoned als een garnaal.'

'Je lult uit je nek,' zei Soleil.

'Ik zweer het je,' zei Jen.

'Laten we wegwezen voor hij terugkomt,' zei Tim. 'Hij zal het niet zo leuk vinden dat ik uitga.'

'Jij gaat helemaal niet uit,' zei Jen.

'Ik neem alleen een colaatje of zo,' zei Tim. 'Ik heb zes weken vastgezeten in dat verpleegtehuis. Bovendien, ik voel me prima.'

'Ik zorg wel dat hij thuiskomt,' zei Lander.

En ze dachten allemaal terug aan wat er de vorige keer was gebeurd toen hij dat zei, de vorige keer dat hij Tim mee uit had genomen. Niet zo best. Zelfs voor Lander voelde het helemaal fout. Het was nooit uitgepraat, het was niet af en het was niet eens zo lang geleden. Hij voelde weer de verschrikking, hoe diep het zat.

'Lijkt me geen goed idee,' zei Jen.

'Zo zeker als wat,' zei Lander. 'Ik zorg dat hij om elf uur in bed ligt.'

'Misschien,' zei Tim.

'Ik weet hier niks van,' zei Jen. 'Ik heb helemaal niks gehoord. Waar gaan jullie trouwens heen?'

'We beginnen in de Garden Bar,' zei Lander. 'Daarna weet ik het nog niet.'

'Hoe kun je dat zeggen! Daarna naar bed! Naar bed!'

'We zien wel,' zei Tim.

Ze zouden ongemerkt zijn weggekomen als Erik niet op de steiger met de andere volwassenen had staan wachten. Polly Langendorf vertelde Landers moeder over Texas in de zomer.

'Je bent zeker nooit in Dallas geweest,' zei Polly. 'Je zou er ook zeker nooit heen willen. Dallas in de zomer is een onderafdeling van de hel.'

'Ik ben verschillende keren in Houston geweest,' zei Landers moeder.

'Het is alsof je in een koeienbek woont,' zei Polly. 'Met die hitte en de luchtvervuiling. Maar dit,' – en ze veegde met haar open hand langs de horizon waar de ondergaande zon een zilveren rand boven de heuveltoppen tekende, vanwaar het laatste licht van de dag hen via het water bescheen – 'dit is hemels.'

'Ook niet zo'n vochtige lucht,' zei Steve Langendorf. 'En de prijzen zijn nog verdomd aantrekkelijk.'

'Ik ben aan een borrel toe,' zei Landers moeder tegen niemand in het bijzonder; toen zag ze Lander, Tim en

Soleil die er stilletjes langs de steiger vandoor wilden. Ze stond op, klaar om in te grijpen.

'We lopen alleen even naar het dorp,' zei Lander. 'We willen Soleil de feestverlichting op Electric Avenue laten zien.'

'Geen sprake van,' zei zijn moeder.

'Waarom niet?' zei Tim. 'We gaan maar even. Niks aan de hand.'

'Het is een akelig idee.'

'Welnee, niks aan de hand,' zei Tim. 'Maak je geen zorgen. Je hoeft je nergens zorgen om te maken.'

En misschien was het het uur van de dag, misschien ook de wiet, maar Landers hart kromp ineen toen hij haar daar zag staan. Ze had gelijk en zij hadden ongelijk, en het maakte niets uit. Ze zouden toch weggaan, gewoon omdat ze niet tegen te houden waren, en zij zou met de zorgen blijven zitten. Zo ging het ook met Landers vader. Mensen deden gewoon wat ze wilden. Lander was precies zo. Hij zou met zijn broer en het meisje naar het dorp gaan en later, als zijn broer naar huis was, zou hij misschien proberen haar te versieren. Misschien was ze tegen die tijd dronken. Hij keek naar zijn moeder met een vrolijke, geruststellende glimlach.

'Helemaal niks aan de hand,' zei Lander.

'Ik wil een cowboy,' zei Soleil. 'Ik word zo zat als een tor en dan ga ik met een cowboy zoenen. Dat is het plan.'

'Het is hier niet bepaald een koeienstreek,' zei Tim.

'Wat voor streek dan?' vroeg ze.

De broers keken elkaar aan. Het antwoord was de laat-

ste tijd eigenlijk toeristenstreek: toeristen, skiërs, jacht-
gidsen en makelaars. Ieder ander was motelbedden aan
het opmaken. De bosbouw was allang verleden tijd. Maar
geen van beiden had zin haar dat te vertellen.

'Koeien zijn er zo'n vijfhonderd kilometer verder naar
het oosten,' zei Lander. 'Dus de meeste cowboys ook.'

'Ik heb een cowboyhoed,' zei Tim. 'Ik ren wel even
naar huis om hem te halen, als je wilt.'

'Jij bent te klein,' zei Soleil en nam een lange teug van
haar Long Island-ijsthee. Lander bewonderde de bewegingen van haar hals bij het slikken, die goed verzorgde,
mooi gebruinde lange hals. Ze was echt een knappe
meid.

'Ik heb ook laarzen,' zei Tim. 'Ik ben een stuk groter
met laarzen aan. Dat is het geheime wapen van de cowboy.'

Het was een slappe dinsdagavond in de Garden Bar.
Misschien zou het later drukker worden. Misschien zat
iedereen nog thuis, op het terras te kijken naar het opkomen van de sterren aan de donker wordende hemel, of
misschien namen ze na het avondeten een douche om de
zonnebrand en het meerwater uit hun haar te wassen.
Maar zo voelde het niet. Het was alsof het voorgoed dinsdagavond zou blijven, alsof de klokken straks zouden
stilstaan en iedereen hier zou blijven steken in zijn bewegingen bij het snookeren, ouwehoeren, muntjes in
het videopokerapparaat stoppen, terwijl de wijzers van
de klokken roestten en eraf vielen. Die wiet van Jen was
misschien beter dan ze dachten.

'Het is hier saai,' zei Soleil.

'Ik ga wel een potje met je snookeren,' zei Tim.

'En dat is niet saai?'

'Anders saai,' zei Tim. 'Kom op.'

Lander leunde achterover in zijn stoel om ze te zien spelen. Zoals zoveel meisjes tegenwoordig, vooral die met geld, zag ze er nogal opgedirkt maar ook nogal ordinair uit. Ze droeg grote, bungelende oorringen en een mooie halsketting, mooie schoenen, maar haar blouse was kort en strak en haar broek hing heel laag. Na een paar stoten ver op de tafel had haar tatoeage niet veel geheimen meer; het was een Grateful Dead-achtig iets met vleugels, rozen en een doodskop in een boog boven haar kont, die ook de moeite van het bekijken waard was. Hij wist dat vrouwen de paranormale gave bezaten om te weten wanneer iemand naar hun kont keek, al dacht hij dat het Soleil waarschijnlijk niet kon schelen. Als het wel zo was, zou ze zich niet zo kleden; of misschien juist. Het was een vraag die hem al de hele zomer bezighield.

'Dood,' zei Soleil.

'Wat?'

'Dooie boel hier. Er moet iets beters te vinden zijn dan dit.'

'Het is dinsdagavond,' zei Lander.

'Het is altijd wat.'

'We kunnen de Rusty Scupper proberen,' zei Tim.

Lander keek hem lang en fronsend aan. De Rusty Scupper was niet echt een stamkroeg voor motorfreaks, al stonden er meestal wel een paar motoren voor de deur. Daar kwam bij dat het een kilometer of vijftien rijden was langs het meer, en hij mocht nergens heen met Tim in de auto, nog niet. Hij wist niet meer precies wat de regels waren, maar wel dat dit er een van was.

Bovendien – maar daar wilde hij niet over beginnen – moest Tim niet zo naar huis? Lander had begrepen dat Tim even mee het dorp in zou gaan, dat ze hem dan thuis zouden brengen en dat Lander daarna iets met Soleil kon proberen, wat dan ook. Hij was niet optimistisch, totaal niet, maar hij dacht dat hij een kans zou krijgen. Alleen niet met zijn broer in de buurt.

'Wie rijdt er?' vroeg hij aan Tim.

'Als je wilt, doe ik het,' zei Tim.

'Ga je het de ouwelui nog zeggen?'

'Die zijn aan het varen,' zei Tim. 'En ik hoef ze toch niet alles tot in de kleinste details te vertellen? Trouwens, het is daar waarschijnlijk net zo'n dooie boel als hier.'

'O nee, hè?' zei Soleil. 'Dan moet ik me van kant maken.'

'Zou ik maar niet doen,' zei Tim. 'Dat heb ik geprobeerd en ik vond er geen reet aan.'

'Hoe zat dat eigenlijk?' vroeg ze.

En zo kwam het dat Lander in zijn nieuwe oude pickup over Highway 35 reed met Soleil in het midden en Tim aan de andere kant, raampjes open, die zijn fascinerende bijna-doodverhaal vertelde. Zoals Tim over het ongeluk sprak was het grappig en geheimzinnig en interessant, heel anders dan Lander het zich herinnerde. Naar zijn idee was het beestachtig, goor en snel geweest. Hij was links afgeslagen, vlak voor een pick-up die hij niet had gezien. Die ramde de passagierskant, waar Tim zat. Lander herinnerde zich niets meer tussen dat moment en de eerste hulp, maar Tim bleef maar beeldende details ophalen: de dronken huisvrouw die hen had gevonden en de politie had gebeld, de lichten van de traumahelikopter door de bomen. Lander geloofde er geen bal van, maar die paar leugentjes konden hem niet zo schelen. Tim had de hele zomer in dat verpleegtehuis de tijd gehad om al die onzin bij elkaar te verzinnen.

Wat hem wel kon schelen was de manier waarop Soleil het allemaal leek in te drinken: dorstig, gretig, een beetje te gespitst op de bloederige bijzonderheden. 'En wat had die vent?' vroeg ze. 'Die vent in de pick-up, die op je klapte?'

'Die was dood,' zei Tim.

'O, shit,' zei Soleil; en toen waren ze alle drie een tijdje stil. Lander voelde zich verloren en alleen en droevig en kwaad. Dit was niet het verhaal dat Tim moest vertellen. Niet dit stuk.

'Hij had zijn veiligheidsriem niet om,' zei Lander. 'Getrouwd, drie kinderen.'

Telkens als het ter sprake kwam, moest hij dat zeggen. Anders was het maar een verhaal, iets dat verleden was. Hij moest er werkelijkheid van maken en door dit te zeggen werd het werkelijkheid. De echtgenote heette Barbara en de drie kinderen Ellen, Susan en Mark.

'Shit,' zei Soleil zachtjes, en ze reden verder naar de bar zonder te praten.

Er speelde een band in de Rusty Scupper toen ze aankwamen, een countryband die je uitstekend op het parkeerterrein kon horen. Lander werd een sluipende hoofdpijn aan de rand van zijn hersens gewaar. Binnen was er een overvloed aan rook, bier en schreeuwerige gesprekken, veel hoeden en laarzen, waar Soleil wel blij mee zou zijn, dacht Lander. Inmiddels had hij zich erbij neergelegd dat het meisje totaal geen aandacht aan hem schonk, maar het zou hem erg goed doen als dat ook voor Tim gold.

'Een Jose Cuervo en een Corona,' riep ze opgewekt zodra ze binnen waren. 'Ik neem de plaatselijke kopstoot!'

Lander zei: 'We hoeven je straks toch niet bezopen naar huis te brengen, hè?'

'Rot op, Ginger,' zei Soleil. 'Ik ben bezopen geboren.'

Ze baande zich een weg naar de bar, door zweet en rook, en de twee jongens keken haar na, net als verschillende anderen. Haar kiekeboe-tatoeage.

'Ginger?' vroeg Tim.

'Mijn pornonaam,' zei Lander.

'Ik dacht dat dat Kierkegaard was,' zei Tim. 'Ik ga zelf ook maar wat te drinken halen.'

'Niet doen,' zei Lander.

'Doe niet zo zeikerig,' zei Tim. 'Ik heb vijf dollar betaald om die kutband te horen. Ik ga hier niet alleen maar met een Pepsi in mijn hand zitten.'

'Je bent net uit het ziekenhuis.'

'En blij toe,' zei Tim. 'Kan ik iets voor jou meenemen?'

Lander keek hem even aan, maar wat viel er nog te zeggen? Er was geen weg terug meer. 'Doe maar een flesje Bud,' zei hij.

'Zo ken ik je weer,' zei Tim en hij werd door de menigte opgeslokt.

Kroegen: hij had er nooit moeite mee gehad, behalve de laatste tijd. Dat gevoel had hij de hele zomer af en aan gehad – Ellen, Susan en Mark – niet helemaal triest, al zat er triestigheid bij. Spijt. Bijna een gevoel van verbazing over hoe snel iets kon veranderen, hoe kleine beslissingen konden uitgroeien tot grote verschillen, seconden hele levens werden. Hij keek naar zijn handen, nog schraal van de uren bij de Orpheum, en dacht: dit waren de handen die aan het stuur draaiden, zonder het te willen, zonder iets te proberen. Hij had verwacht dat het hem zou aanvliegen wanneer hij alleen was, dat gevoel, maar in feite was het erger wanneer hij zich in een menigte bevond, zoals hier. Dat waren de momenten dat hij zich afgesneden, alleen en in zichzelf opgesloten voelde, uitkijkend op de grinnikende, schreeuwende meute, die een zomeravond stuk dronk en rookte en flirtte. Lander vond ze er dom uitzien. Daaraan kon hij merken hoe verknipt hij was: als vrolijk eruitzag als dom.

Maar in zijn eentje ging het allemaal wel. Zijn hoekje in de bibliotheek. IJsbolletjes scheppen voor meisjes in zomerjurkjes.

Tim liep voorop toen ze van de bar terugkwamen en hield dronkenlappen uit de weg voor Soleil met haar blad met drank: drie flesjes Corona, zes glazen tequila.

'Zo, aan de slag,' zei ze. Ze zette het blad op een richel en gaf hun ieder een partje limoen en een glas. Dit kon nooit goed gaan, Lander wist het. Hij wierp Tim een blik toe, maar zijn broer negeerde hem, zoog aan de limoen en tikte zijn tequilaglas tegen dat van Soleil. Ze sloegen de drank allebei in één keer achterover. Er was ook ei-

genlijk niet veel meer te doen dan drinken. Lander glimlachte naar zijn broer op een sceptische, afstandelijke
manier, hoopte hij, en sloeg toen zijn eigen borrel achterover. De tequila smaakte naar benzine en brandde
door zijn hele slokdarm. Hij voelde het later zelfs in zijn
maag, als smeulend vuur.

'En nog een,' zei Soleil, en zij en Tim pakten hun glazen op en dronken. Ze keken allebei naar Lander.

'Ik niet,' zei hij. 'Merci.'

'Nou, ik ga het verdomme niet weggooien,' zei Soleil,
terwijl ze het laatste glas weggriste en ook achterover
sloeg. Wat op drie glazen binnen drie minuten kwam.
Mij benieuwen, dacht Lander. Misschien werd het toch
nog een korte avond.

I'd like to settle down, but they won't let me, zong de lead-
gitarist, een klein mannetje met een hoge hoed. Soleil
pakte Tim en sleepte hem mee naar de dansvloer. Lander leunde tegen een muur en keek hoe ze ronddraaiden.
Misschien kwam het allemaal nog op zijn pootjes terecht. In het schemerige licht van de kroeg hadden de
fonkelende kerstlampjes boven het podium hun eigen
kleine betovering. Het publiek was een mix van van alles: mannen met cowboyhoeden en mannen op sandalen
en vrouwen in westernhemden met paarlemoeren druk-
knopen. Opzij van het podium was een stel aan het swin-
gen, de man smeet het meisje alle kanten op en ze viel
precies op de maat weer bij hem in. Het was snel, leuk
om te zien en Lander had pas in de gaten dat Soleil hem
kwam halen toen ze tequila in zijn gezicht stond te hij-
gen.

'Zo makkelijk kom je er niet van af,' zei ze. 'Kom dansen. Ik kan best met jullie tweeën dansen.'

En Lander zou nee gaan zeggen, wilde nee zeggen, maar toen hij de bezitterige blik in de ogen van zijn broer zag, dacht hij: kan mij het verrotten. Als een hond in een voederbak: ik vreet geen hooi, maar ik laat ook niemand anders hooi vreten. Hij probeerde zich te herinneren hoe hij aan die grap kwam en ineens stond hij op de dansvloer, naast zijn broer de stijveheupendans te doen terwijl Soleil haar stripperbewegingen maakte. Ze had een mooie volle kont en ze wist hoe ze ermee moest schudden. Ze leek hem best een aardige rijke meid en Lander vroeg zich af hoe ze aan die hoerige kleren en hoerige maniertjes kwam. Er werd naar gekeken. Ze had zo'n alcoholische gloed van 'alles kan en alles mag' in haar ogen en riep telkens maar 'Woeh!'

Rond dat moment begon die gast met de zwarte cowboyhoed opdringerig te doen.

Het was gewoon een man uit het publiek, een dronken vent in cowboykleren, een jaar of dertig, vijfendertig, met een ouwelijk doorgroefd, diepgebruind gezicht. Pas de tweede of derde keer dat hij door hun groepje heen kwam merkte Lander hem op en het leek hem zo'n schoongeboende wegwerker en misschien ook iemand die niet vies was van een knokpartijtje. Hij had zo'n gelooide huid met van die diepe, kwade rimpels rond zijn ogen. Lander keek om zich heen en vroeg zich af of die anderen – er waren nog een paar van die zongedroogde, zonverbrande gasten net als hij – of die anderen bij de man met de zwarte hoed hoorden. Hij bewoog zich met

een kleine shimmy, een dronken wiebeltje op zijn hoog-
gehakte laarzen, en draaide om Soleil heen als een mot
rond een lamp.

Dat had ze algauw in de gaten. Misschien was hij lang
genoeg. Hij droeg een gloednieuwe Wrangler-spijker-
broek die hem op zijn kont gespoten leek te zijn. Toen ze
zich naar hem toe draaide, knikte en schudde hij hanig
met zijn kop. Het was verdomme alsof je naar een na-
tuurfilm keek, vond Lander: roofdier en prooi – al was
het op dit punt in de dans niet duidelijk wie wat was. Hij
had het voordeel van een thuiswedstrijd, maar zij gaf de
indruk dat ze zelf ook wel een paar kunstjes kende. Eerst
danste ze met Tim, daarna met hem, daarna met hun
drieën en daarna alleen met de zwarte-hoedenman. Het
was handig gespeeld, door allebei. Toen het nummer
was afgelopen, glipten ze naar de bar om nog wat drank
te halen, hij met zijn hand op haar tatoeage.

'We moeten haar hier weg zien te krijgen,' zei Tim.

'Waarom? Ze ziet eruit alsof ze op zichzelf kan passen.'

'Dacht je dat haar ouders dat leuk zullen vinden?'

'Zit daar niet een beetje eigenbelang bij?' vroeg Lander. 'Trouwens, haar ouders hebben onderhand genoeg
kunnen oefenen om aan die ellende te wennen. Neem ik
tenminste aan.'

'Pa heeft dit nodig,' zei Tim, plotseling met zijn gezicht
pal voor Landers neus, binnen zijn persoonlijke ruimte.
Lander moest de opwelling onderdrukken om hem weg
te slaan, maar Tim was heel fel. 'Pa is verdomme blut.
Wat voor kans zou hij dan nog hebben bij die twee?'

'De ouders?'

Tim knikte.

'Ongeveer dezelfde,' zei Lander. 'Die twee laten zich niks aansmeren. Die zijn er alleen voor de lol.'

'Hoe weet jij dat nou?'

'Gewoon een voorgevoel.'

'Jouw beroemde voorgevoelens,' zei Tim. 'Die komen altijd zo geweldig uit.'

'Luister,' zei Lander. 'Als je wilt dat ik je vriendinnetje haal, dan haal ik haar daar weg, mij best. Maar ga wel uit mijn gezicht vandaan, Tim.'

'Ik ga mee.'

'O nee. Jij gaat zitten.'

'Je hebt mij niet te zeggen wat ik moet.'

'Daar hebben we het later wel over, Tim. Als je wilt vechten, dan vechten we een keer wanneer je er niet door in het ziekenhuis komt. Nu ga je zitten.'

Een ogenblik lang stond Tim op het punt hem een dreun te verkopen, en deed het bijna, maar uiteindelijk niet. Ze knokten al achttien jaar met elkaar. Vroeg of laat moesten ze er eens mee ophouden. Misschien was dit het moment.

Tim keek van Lander naar de deur naar de bar en weer naar Lander. 'Ik wacht hier,' zei Tim.

'Goed zo,' zei Lander. 'Ben zo terug.'

Maar toen hij zich van zijn broer omdraaide naar de kring van gebruinde mannen die aan de bar om Soleil heen stond, besefte hij dat hij geen duidelijk idee had wat er zou gebeuren en helemaal geen zin om dit te doen. De band speelde 'Don't Take Your Guns To Town' en Lander liep langzaam naar de bar. De mannen – ze waren met z'n drieën of vieren – hoorden duidelijk bij dezelfde ploeg wegwerkers of dakdekkers, werk in de zon, jonge mannen en mannen van middelbare leeftijd met een ouwemannenhuid. Soleil stond in het midden, tegen de bar aan, met haar hoofd in haar nek te lachen en de eerste cowboy, die met de zwarte hoed, deed alsof hij met haar meelachte terwijl hij haar tieten bekeek. Niks mis mee, dacht Lander. Daar had hij zich ook aan bezondigd. De barkeepster, een imposante tank van een vrouw van in de vijftig, zette een biertje op de bar, nam een twintigje aan en ging wisselgeld halen. Een van de vrienden zag Lander op hen afkomen. Ze stootten elkaar aan en bekeken hem met z'n allen.

'Kom op, Soleil,' zei Lander. 'We moeten ervandoor.'

'Nu?'

'Nu,' zei Lander.

'Ik wil nog niet,' zei Soleil.

'Ik geef haar wel een lift,' zei de man met de zwarte hoed. Met zijn rug tegen de bar geleund en een flesje bier in zijn ene hand, keek hij vanuit de hoogte van zijn laarzen op Lander neer en glimlachte onvriendelijk. Hij zei: 'Ga jij maar lekker weg.'

'Ik denk niet dat haar pa en ma dat leuk zouden vinden,' zei Lander.

'Wie geeft er een fuck om mijn pa en ma?' zei Soleil.

'Je bent een oerdom duimzuigertje,' zei Lander tegen haar. 'Kom mee naar de auto, we gaan.'

'Wat zei je tegen haar?' vroeg de zwarte-hoedenman.

'Kom op, we gaan,' zei Lander en hij pakte Soleil bij haar pols.

'Néé,' zei ze en allemaal keken ze naar de hand die haar vasthield. De gelooide man met de zwarte cowboyhoed keek weer op, glimlachte Lander toe, zette langzaam en voorzichtig zijn flesje Coors Light terug op de bar en sloeg Lander met één vloeiende beweging naar het midden van de dansvloer.

De dreun trof Lander bij verrassing, als een onmiddellijke vloedgolf van pijn. Alles werd draaierig en wazig. Hij voelde een sterke drang om op te springen en de gelooide man aan te vliegen, maar had er de kracht niet toe. Ergens onderweg had hij het meisje losgelaten. Hij hief zijn hoofd van de vloer op, verwachtte een schop na. Wie die vent ook was, het was niet zijn eerste kroeggevecht en hij zou er geen eerlijk en sportief einde aan willen maken. Lander wist dat hij een grote fout had begaan door zich hiermee te bemoeien en voelde dat hij voor die fout zou moeten boeten.

Hij keek op, verwachtte een schop na, maar zag zijn broer door de menigte heen dringen naar het meisje en de zwarte cowboyhoed. Die was op weg naar de dansvloer, tegen de zin van het meisje dat op een vreemde, slow-motionachtige manier gilde, terwijl achter haar hoofd de kerstlichtjes pinkelden en tolden. Lander had het gevoel alsof hij in een droom iets zag gebeuren zonder dat hij kon ingrijpen, zonder dat hij het kon tegenhouden. Hij had het gevoel dat hij zou kunnen ingrijpen als hij zijn hersens maar zover kreeg om de noodzakelijke opdrachten aan zijn lichaam te geven, maar die waren totaal in de war.

Hij keek vanaf de vloer toe hoe Tim de zwarte-hoe-

denman naderde die al ineengedoken klaarstond. Toen
Tim binnen handbereik kwam, sloeg hij hem zonder
omhaal ook tegen de dansvloer. Tim smakte bewuste-
loos met open ogen neer.

Even later, een paar seconden, begon Tim bloed op te
geven.

Het meisje gilde. De cowboy stond er onzeker en
kwaad bij, alsof hem een kunstje was geflikt.

Lander krabbelde op. Hij was opeens beter, opeens
helder. De dichtstbijzijnde eerstehulppost was in Kalispell.

'De uitgang,' zei hij.

'Wat?' zei het meisje.

'Ga naar de uitgang,' zei hij, en hij tilde zijn broer van
de grond – zo licht in zijn armen, net alsof hij een kind
droeg – terwijl het bloed op hun overhemden droop. Het
meisje stond bij de deur en scheen opeens ook te weten
wat ze moest doen: ze rende naar de pick-up en gooide
de passagiersdeur zo ver open als maar kon, stapte in, zat
met open armen toen Lander zijn broer in de wagen aan
haar doorgaf, sloot hem in haar armen. Ze propten hem
naar binnen, Lander deed zachtjes het portier dicht en
weg waren ze, in een regen van grind het parkeerterrein
af.

'Hij ademt,' zei het meisje. 'Hij ademt gewoon.'

Lander had even de neiging er iets op te zeggen, maar
hij reed intussen honderdvijftig en het was een toer om
de oude wagen op de weg te houden. De roestbak schokte
en slingerde van de vluchtstrook naar de middenstreep,
koplampen schrapend langs de bomen.

'Rijd ons niet dood,' zei het meisje.

'Ik rijd ons niet dood,' zei Lander. Hij kende de weg op zijn duimpje, van voor tot achteren, wist waar hij vaart moest minderen of gas geven. Het meer glinsterde tussen en door de bomen, glansde rusteloos in het maanlicht. Lage wolken weerschenen op het wateroppervlak en het gevoel dat ze door een nachtmerrie reden was op een gegeven moment zo sterk dat Lander overmand werd door onwerkelijkheid, alsof hij straks zwetend wakker zou worden, de onderkant van de lakens door zijn voeten losgetrapt.

Toen reed hij hen bijna het meer in, ging slippend een bocht door die hij was vergeten. Daarna minderde hij vaart. Op de buitenweg van Bigfork moest hij een moment stoppen voor een rood licht en zag dat de hand van het meisje angstvallig de deurgreep omklemde, alsof dat haar redding was. Hij ging over naar de andere rijstrook, reed door rood en trok snel op naar Kalispell.

'De munt,' zei Tim. Tenminste, zo klonk het wat hij zacht en onduidelijk zei.

'Wat zeg je?' vroeg het meisje.

'Breng het naar de munt,' zei Tim.

Dat maakte Lander om welke reden ook banger dan al het andere en hij reed met intense snelheid door het vlakke hooiland aan de kop van het meer, maakte vijanden bij de andere weggebruikers als hij om ze heen zwenkte, roekeloos met loeiende claxon passeerde en de luidruchtige 283 onder de motorkap van zijn oude pickup liet bulderen. Ze zagen de lichten van Kalispell voor zich en daarna langs schieten. 'Bel 911,' zei Lander. 'De eerste hulp in Kalispell. Zeg dat we eraan komen.'

'Goed,' zei het meisje. 'Wat is het nummer?'

Dit hing een ogenblik tussen hen in en toen barstten ze allebei in lachen uit. Dat was wel het allerstomste wat iemand ooit had gezegd en hij kon niet meer stoppen met lachen en zij ook niet. Alle angst kwam als lachen naar buiten en ze lachten erom door heel Kalispell, en ze lachten nog toen ze onder de luifel boven de ingang van de eerste hulp stopten.

'Maak de deur open,' zei hij en dat deed Soleil. Lander liep om de neus van de wagen heen, nam zijn broer over en droeg hem in zijn armen – zo licht sinds het ongeluk! alsof je een kind droeg – naar de eerstehulppost, waar de twee of drie mensen die binnen zaten meteen verstomden.

Lander keek omlaag en zag het bloed op zijn overhemd, op dat van hem en van zijn broer.

De korte stilte maakte plaats voor koortsachtige activiteit en algauw lag Tim op een brancard en was hij weg, zonder uitleg of uitstel weer naar de binnenwereld van het ziekenhuis. Landers bijdrage was achter de rug en pas toen werd hij zich bewust van zijn droge mond en trillende handen. Hij liep naar de ingang om de pick-up weg te zetten en buiten joeg de maan door vegen en flarden wolken: een weerwolfachtige nacht, maar dan warm. Ergens aan het meer, niet ver daarvandaan, zaten mensen aan de haven te kijken naar de opkomende sterren, te genieten van de rust, van de golfjes van het meer tegen de steigerpalen. Ergens dachten mensen dat ze veilig waren.

Een uur later kwam de dokter uit het achtergedeelte en keek de wachtkamer rond op zoek naar Lander. 'Ben jij familie?' vroeg hij, en Lander knikte. 'Kom mee naar achteren.'

Iets dodelijks in zijn toon, in zijn ogen en Lander vreesde het ergste toen hij met hem meeliep. Maar zodra hij in de met een gordijn afgescheiden ruimte kwam, zag hij Tim daar rechtop in bed zitten, met een zwakke glimlach.

'Hoi,' zei Tim.

'Hoi, Kierkegaard,' zei Lander.

'Je broer heeft een maagzweer,' zei de dokter. 'Ik weet niet hoe ze die over het hoofd hebben kunnen zien in het verpleegtehuis. Ik weet trouwens niet wat hij in het verpleegtehuis deed.'

'Ik kon echt nergens anders terecht,' zei Tim.

Lander keek hem aan. Hij zei: 'Je had bij ma in huis gekund.'

'Die was er van de zomer niet voor in de stemming.'

'Of bij mij.'

'O ja?' zei Tim. 'Dat zal ik onthouden voor de volgende keer. Ik weet niet of je het in de gaten had, maar ik was een beetje pissig op je.'

De dokter onderbrak hen. Hij zei: 'Ik wil hem hier een nachtje houden, een oogje op hem houden. Maar je kunt hem morgenochtend komen halen. Ik ben er vrij zeker van dat hij in orde is.'

Lander vroeg Tim: 'Is dat goed wat jou betreft?'

'Wat moeten we anders?' vroeg Tim. 'Ons hier naar buiten vechten?'

'Dat heb ik wel genoeg gedaan voor een avond.'

'Mijn idee,' zei Tim. 'Ik zie je morgenochtend.'

'Heel goed,' zei Lander. Hij pakte de hand van zijn broer, zoals een meisje zou doen, en drukte die tegen zijn borst. Hij zei: 'Ik ben best blij dat je nog leeft.'

'Ik ook,' zei Tim.

Toen was het voorbij en liep Lander weer onder de blote hemel naar zijn wagen. Soleil, die in een hoekje van de wachtkamer in haar eentje had zitten mokken of snikken, hobbelde een meter of wat achter hem aan. Buiten besefte hij pas wat een gruwelijke hekel hij aan die ziekenhuislucht had, niet alleen de geur van stront en ontsmettingsalcohol, maar de bedorven dodenlucht zelf. Die wilde hij niet in zijn longen hebben.

'Je had het niet hoeven doen,' zei Soleil.

Lander gaf geen antwoord, klom aan zijn kant in de pick-up, haalde voor haar de deur van het slot, draaide het raampje omlaag en startte de motor. De cabine rook nog een beetje naar bloed. Als hij iets van deze zomer van zich af wilde hebben, dan was het wel de geur van bloed. Hij keek omlaag naar zijn besmeurde overhemd en wist dat het die avond niet zou gebeuren.

'Het had allemaal niet hoeven gebeuren,' zei Soleil toen ze voor een stoplicht in Kalispell stonden. Het was nog niet laat, maar de straten zagen er winters verlaten uit.

'Natuurlijk wel,' zei Lander.

'Je had me daar gewoon kunnen laten,' zei ze.

'Dat had ik kunnen doen. Dat zou ík gedaan hebben. Maar Tim niet.'

'Waarom niet?' vroeg ze. 'Echt, er was me niks overkomen.'

'Dat zal best,' zei Lander en hij vroeg zich even af hoeveel uitleg hij haar eigenlijk schuldig was. Maar hij had er zin in. Hij zei: 'Je zou genaaid, bezopen en ver van huis zijn geweest en ik had dat allemaal prima gevonden. Tim was degene die jou daar niet wilde achterlaten. Hij had het stompzinnige idee dat je ouders belangstelling hadden voor een huis hier. Ik heb hem gezegd dat ze hier alleen voor de lol waren, dat ze mijn pa aan het lijntje hielden, maar hij geloofde me niet. Ik wist het al meteen.'

'Misschien hadden ze het gedaan,' zei Soleil.

'Misschien hadden ze het gedaan,' zei Lander. 'Wat bedoel je?'

'Nou, misschien hadden ze het gedaan.'

'Jullie zijn toch gewoon een familie van leugenaars en hoeren?' vroeg Lander. Daar had ze niet van terug en in stilte reden ze het slapende Kalispell uit, de hooivelden en het gebroken maanlicht in. Lander voelde zich opeens doodmoe, zwaar in zijn stoel. Hij had het idee dat deze avond een eeuwigheid duurde, dagen en nachten tot één waren samengeperst, de ene gebeurtenis op de andere was gestapeld en er nog meer zou volgen. Hij zou moeten uitleggen waar zijn broer was als hij terugkwam. Alleen al bij de gedachte eraan kreeg hij weer die koperenmuntsmaak in zijn mond en nu herkende hij het als angst. Niemand zou hem slaan of voor de rechter slepen of zelfs maar uitschelden. Ze zouden gewoon niets meer met hem te maken willen hebben.

'Ik heb ook best wel goede kanten,' zei Soleil na een paar kilometer.

'Zoals?'

'Ik kan griezelig goed pijpen,' zei ze. 'En ze hebben me verteld dat ik heel plezierig reisgezelschap ben. Ik vind het altijd leuk om nieuwe dingen te zien.'

Lander lachte en schudde zijn hoofd. Hij zei: 'Dat zijn vast belangrijke dingen om van jezelf te weten.'

'Het spijt me van vanavond,' zei ze.

'Oké.'

'Nee, ik meen het. Het komt toch weer goed met hem, hè?'

'Ik denk van wel,' zei Lander.

'Ik voel me soms zo opgesloten,' zei Soleil. 'Niet dat ik een hekel aan mijn ouders heb of zo, maar na drie dagen met ze in de auto kan ik wel gillen, weet je. En als ik dan de kans heb om even van ze af te zijn en gewoon een beetje los te gaan, ik weet niet – dan loopt het wel eens uit de hand.'

'Dat heb ik gezien.'

'Het is nooit mijn bedoeling om iemand pijn te doen,' zei ze, terwijl ze Landers dijbeen via zijn broekspijp aanraakte. 'Maar soms loopt het gewoon zo.'

De aanraking ging door hem heen als een stevige por tegen zijn telefoonbotje, een plotselinge elektrische reactie van zijn hele lijf dat zich heroriënteerde rond haar aanraking. Ze scheen gezegd te hebben wat ze wilde zeggen en Lander had geen zin om iets nieuws aan te snijden. Hij wist zeker dat hij het dan op een of andere manier zou verknallen en wilde dat nog even uitstellen. Hij wilde dat ze haar hand daar liet liggen, en dat deed ze ook. Bij het stoplicht in Bigfork – hoe lang was het geleden dat ze daar stonden? het leek wel dagen – drukte hij zijn eigen hand op die van haar, en Soleil gaf hem een opwindend kneepje.

Ze haalde haar hand weg toen ze de oprit van de jachthaven op reden. De *Lucky Me* lag niet aan de steiger. Een gat van twintig meter in de rij boten waar het jacht van zijn vader hoorde te liggen.

'Waar zijn ze?' vroeg Soleil.

'Misschien boven in de flat,' zei Lander.

'Wat hebben ze met de boot gedaan?'

Er was geen antwoord op die vraag en Lander negeerde hem. Hij parkeerde de pick-up en ze gingen naar binnen om poolshoogte te nemen, dezelfde vreemde gewaarwording van tijd- en luchtloosheid als voorheen. In het kunstlicht en het veloutébehang zat de geur van de dood. Schilfers opgedroogd bloed vielen van zijn overhemd. Hij keek op zijn horloge en het was nog voor enen, dat kon niet. Het leek twee dagen later.

Niemand thuis in de flat.

Lander ging naar de logeerkamer om een ander overhemd aan te trekken. Al het wasgoed dat hij had meegebracht was afgedragen, maar hij vond een zwart T-shirt dat er nog mee door kon. Toen hij terugkwam stond Soleil op het betonnen balkonnetje uit te kijken over het meer. Lander was moe, doodmoe, maar hij wilde nog niet slapen. Hij moest in elk geval nog het probleem van het meisje oplossen voor hij ging slapen. Hij liep naar de ijskast die zich op wonderbaarlijke wijze had bijgevuld en nu vol bier zat, pakte een flesje voor zichzelf en een voor het meisje en nam ze mee naar het balkon.

'Kijk,' zei ze en ze wees naar het meer.

Eerst zag Lander niks, alleen het meer dat glinsterde en glansde in het maanlicht met de schuivende wolken die lange blauwe schaduwen over het water wierpen. Toen zag hij het: stil dobberde er een bleke vorm op het water: de boot.

En daar stond Jen, op de steiger. Waar kwam die vandaan?

Hallo, riep ze met haar handen aan haar mond, en Lander hoorde de stem van zijn vader antwoorden: *Hallo!*

Wat is er mis? riep Jen, en zijn vader antwoordde *Geen benzine!*

Wat kunnen we doen? vroeg Jen, en zijn vader zei *Te laat!*

Daarna hielden ze op met schreeuwen. Er viel misschien niets meer te zeggen. Toen zijn ogen aan het donker waren gewend, zag Lander de grote boot duidelijk liggen, zag hem tergend langzaam naar de wal drijven. Hij moest de afstand hebben onderschat, zijn vader, of anders had hij weer eens een aanval van optimisme gehad. *We halen het wel*, moest zijn vader bij zichzelf gezegd hebben. *Het gaat vast goed.* Lander dacht weemoedig aan de Orpheum, aan de rustige avonden waarop niets gebeurde. De wind duwde de boot naar de wal, naar het grindstrand van het natuurreservaat en niet naar de haven, en dat kwam goed uit. Straks zou hij weer terug zijn in de bibliotheek, terug in de stilte en de koelte.

Weer bosbessen-, caramelespresso-, stracciatella-, rum-ijs scheppen.

'Wat doen we nu?' vroeg Soleil.

'Wachten,' zei Lander. 'De wind brengt hem weer aan land.'

'En wat doen wij onder het wachten?' vroeg Soleil, die het pechgeval de rug toekeerde zodat ze hem kon aankijken. Niemand wist waar ze waren. Niemand zou ook maar iets in de gaten hebben.

'Jij bent de gekste van allemaal,' zei Lander.

'Zoen me, zoen me, zoen me,' zei Soleil en dat deed hij, deed hij, deed hij.

Op de brandplek

Eddies voetbaltoernooi loopt uit. Nancy en ik kijken vanaf de voorbank van haar Crown Vic, roken sigaretten en kauwen op Red Vines-dropslierten. Het is een mooie herfstdag, de bomen langs het veld zijn fel rood en geel. De laag en schuin invallende zon maakt de voorruit half ondoorzichtig vanwege dooie insecten en opgedroogde regendruppels.

'Ik denk dat hij het begint te leren,' zeg ik tegen Nancy.

'Moet je hem zien,' zegt Nancy. 'Hij zit in een andere wereld.'

Nancy tikt een nieuwe sigaret uit haar pakje, terwijl ik iets probeer te bedenken om haar tegen te spreken. Eddie is natuurlijk haar kind en ze houdt natuurlijk van hem, maar soms oordeelt ze wat hard over hem. Zoals nu: hij loopt daar met al die andere jongens in een sportpak met scheenbeschermers en als hij een bal voor zijn voeten krijgt, geeft hij er een schop tegen. Net als de rest holt hij het veld op en neer. Maar Eddie lijkt altijd een beetje verrast als hij ineens de bal ziet aankomen. Hij loopt meestal een beetje achter het strijdgewoel aan. Af en toe is het alsof hij in zichzelf loopt te zingen.

'Er lopen daar tien kinderen te voetballen,' zegt Nancy, 'en een die net doet alsof. Dat is die van mij.'

Ze blaast de rook uit zoals je wel in jarenvijftigfilms ziet, bijna zuchtend. Ik pak een biertje uit de koelbox op de achterbank. Ik ben de hele zomer bezig geweest met brandbestrijding en nu ben ik hard aan het bijkomen. Twee douches per dag, roomijs als ontbijt. Dit is meestal de beste tijd van het jaar: nadat ik van het vuurfront kom en voordat ik door mijn geld heen ben.

'Geef hem een beetje de ruimte,' zeg ik. 'Hij is pas tien.'

'Elf,' zegt Nancy.

'Hij leert het wel.'

'Welnee,' zegt ze. 'Je kent Jack.'

Jack is haar ex-man, Eddies vader, geen geslaagd mens.

'De nodige tijd en ervaringen hebben Jack gemaakt tot wat hij is,' hou ik haar voor.

'Hij is zijn hele leven zo geweest.'

'Ik wist niet dat je hem zijn hele leven hebt gekend.'

De andere ouders staan langs de zijlijn te juichen en hun kinderen aan te vuren, ze schreeuwen tegen de trainer of trekken hem voor een ernstig gesprekje opzij. Ik ben een paar keer met Eddie mee geweest, alleen wij tweeën, omdat Nancy moest werken – ze is OK-verpleegster in de middagdienst van het ziekenhuis – en dan stond ik met de andere ouders langs de lijn, maar Nancy vertikt het. Ze zegt dat ze die vuile blikken beu is en daar kan ik inkomen. Die ouders willen winnen, winnen, winnen. Als Eddie loopt te dromen en een bal mist, kijken ze jou erop aan.

'Ik moet iets vinden om extra geld te verdienen,' zegt Nancy. 'Ik moet er een tijdje tussenuit.'

Ze ziet er inderdaad moe uit, meer dan vroeger.

'Ik heb geld,' zeg ik. 'Ik heb geld zat. Laten we naar Mexico gaan. Daar kunnen we makkelijk overwinteren.'

Zo gaat het tussen ons sinds ik terug ben: zij schudt haar hoofd, neemt een haal van haar sigaret en kijkt me aan of ik gek ben. Drie jaar geleden, toen ik haar tegenkwam, zag ze er zoveel jonger uit dan ze was. Ik stond versteld toen ik hoorde dat ze tweeëndertig was. Drie jaar geleden luisterde ze nog naar mijn plannetjes, stond ze altijd klaar om mee te gaan: Mexico, Thailand, niks was te gek. Vorig jaar zouden we teruggaan naar Noord-Carolina, dan kon ik haar laten zien waar ik vandaan kwam, het strand en de tabaksvelden en de Blue Ridge. Maar van al die dingen is eigenlijk nooit iets gekomen.

'En dan?' zegt ze. 'Wat doen we als we terug zijn?'

Ik kan er niet tegen als ze zo sarcastisch en vals doet, al weet ik dat ik het verdien. We hadden vorig jaar na het bosbrandseizoen naar Thailand kunnen gaan. Ik had het geld. Zij had vakantie.

'Dan ga ik weer aan de studie,' zeg ik. 'Maak ik het af en haal ik mijn lesbevoegdheid. Dat heb ik je al gezegd.'

'Je zegt wel meer wat.'

'Hoe bedoel je?'

'Dat zei je vorig jaar ook al. Ga je nu naar de cursus?'

'Ik heb gewerkt.'

Ze schudt weer haar hoofd, nu droevig in plaats van kwaad, en ze pakt mijn biertje uit mijn hand en neemt een slok. Ik pak haar sigaret tussen haar vingers uit en neem een trek, maar ik kan nog steeds niet roken. Twee maanden brandlucht inademen en het voelt alsof ik grind in mijn longen heb.

'Bovendien is die arbeidsongeschiktheidsverklaring binnen,' zeg ik. 'Die vervalt als ik dit najaar weer ga studeren.'

'Ik ben weer met Jack naar bed geweest.'

Dit komt onverwacht. Het is alsof er iets als een wesp rond mijn oor zoemt en ik schud mijn hoofd om hem kwijt te raken, maar dat lukt niet. Ze is met Jack naar bed geweest.

'Waarom?' vraag ik.

'Ik weet niet,' zegt ze. 'Hij wilde het.'

'Nee,' zeg ik. 'Waarom vertel je me dit?'

'Ik weet niet,' zegt ze. Ze zwaait met haar sigaret naar me alsof die het me zal vertellen. Ze kijkt strak voor zich uit door de voorruit, naar het harde middaglicht. De jongens hollen, de ouders schreeuwen, de blaadjes verdorren.

Diep onder de aarde bewegen de platen, schuiven de continenten, zo langzaam dat we het niet eens voelen. We kunnen niets anders doen dan meeschuiven. Dat gevoel heb ik gewoon, het is iets wat ik weet. Nancy huilt nu, maar op die stille manier die weinig goeds voorspelt. Het is háár verdriet, het zijn háár tranen. Ik zou kwaad moeten zijn en ik ben het niet. Ik heb alleen het gevoel dat ik boven dit hele gedoe zweef en dat het mij niet echt overkomt. Ik probeer kwaadheid te voelen, probeer mezelf eraan te herinneren dat ik aan het vuurfront rook stond te happen terwijl zij onder lekker schone lakens met hem lag te neuken. Elke man zou kwaad worden als hij erbij stilstond. Elke man zou kwaad moeten zijn.

Maar ik bezie het van duizenden kilometers afstand en het is alsof iemand anders Nancy ziet huilen.

'Dat had je me niet hoeven te vertellen.'

'Jawel.' Nu zet ze haar verpleegstersstem op. Zo praat ze tegen haar patiënten, zo krijgt ze hen zover dat ze iets voor haar doen, maar niet omdat zij het wil. Het is voor hun eigen bestwil.

Weer een tijdje uit het raam staren, ademen, roken. Ik krijg het benauwd van de rook in de auto, draai het raampje open en de koele herfstlucht stroomt naar binnen – lucht die aanvoelt alsof hij dik is van het zonlicht dat erdoorheen stroomt. Het werkt op me als zalf op de wond, als een koud biertje op een warme middag: schoon licht en schone lucht.

'Het wordt niks met ons,' zegt ze. 'Het is gewoon een sleur om samen te zijn. En ik wil eruit, Richard. Ik ben het beu om geen geld te hebben, beu om alleen voor Eddie te zorgen. Ik wil dat er iemand voor mij zorgt, in ieder geval een beetje.'

'Ik was gewoon aan het werk,' zeg ik. 'Ik was weg om geld te verdienen. Wat is daar mis mee?'

'Ik wil een eigen huis,' zegt ze.

'Dan koop ik een huis voor je,' zeg ik.

'Dat doe je toch niet.'

En wat klinkt Nancy triest als ze dit zegt. Ik leg mijn hand op haar arm, op de zachte binnenkant van haar pols, haal haar arm naar me toe en kus haar handpalm, de binnenkant van haar pols, de zachte plek. De platen bewegen onder ons, de continenten en oceanen.

Als we opkijken staat Eddie ons aan te staren door het raam aan de passagierskant, waar ik zit.

'Hé, maatje,' zeg ik tegen hem. 'Dat ging goed met jou op het veld.'

'Waar hadden jullie het over?'

'Ik moet naar mijn werk,' zegt Nancy.

Eddie kijkt gekrenkt – er wordt hem verteld dat hij zijn mond moet houden en hij weet het – maar hij zegt niets en klimt op de achterbank van de grote Vic Crown en gaat er liggen.

'Ik ben moe,' zegt hij. 'Mogen we naar de Dairy Queen?'

Nancy wil haar hoofd schudden om nee te zeggen, maar ik kom ertussen.

'Als we je mama naar haar werk hebben gebracht.'

Nancy kijkt me vuil aan, maar ze kan me wat. Ik kap niet met Eddie. Eddie geeft me niet het gevoel dat ik moet opdonderen.

'Ik haat voetbal,' zegt Eddie.

'Niet zeuren,' zegt Nancy. 'Het is nog maar drie weken.'

'Maar ik vind er niks aan,' zegt Eddie. 'Ik vind er niks aan en ik ben er niet goed in, waarom moet het dan?'

'Ik vond je vandaag behoorlijk goed,' zeg ik – en nu kijken moeder en kind me allebei vuil aan.

Nancy en ik zitten aan weerskanten van de voorbank, wat in deze auto een flink eind uit elkaar is. Ik weet niet eens wat ik hoor te voelen. Als we haar bij het ziekenhuis afzetten geeft Nancy me een vluchtige zoen op mijn wang en werpt dan een zijdelingse blik op Eddie. Wat betekent dat? Niet tegen Eddie zeggen, betekent het. Dit is allemaal te verwarrend voor me. Ik wil hem niet kwetsen. Maar ik wil ook niet dat hij op een ochtend wakker wordt – morgenochtend, overmorgenochtend – en merkt dat ik weg ben.

'Gedraag je,' zegt Nancy en gooit het portier dicht. Het is niet duidelijk of ze mij bedoelt of Eddie of ons allebei. Als ze in de draaideur verdwijnt, klimt Eddie over de rugleuning naast me op de voorbank, wat hij van Nancy nooit mag.

'Mannen onder elkaar,' zegt Eddie.

'Waar gaan we heen?' vraag ik.

'Dairy Queen, natuurlijk,' zegt hij. 'Wat heeft ze?'

'Niks, man.'

'De mamba,' zegt Eddie. 'De mamba is op oorlogspad.'

Het is niet helemaal duidelijk of hij het tegen mij heeft of gewoon hardop denkt; of hij meent wat hij zegt of gewoon iets zegt om te horen hoe het klinkt. Zo'n joch is Eddie.

Het is vier uur en de straten zijn allemaal vol licht, kinderen gaan uit school naar huis of hangen wat rond. Het is warm, maar je voelt dat dat gauw voorbij zal zijn.

'Dubbele Blizzard,' zegt Eddie. 'Met toffeechocola en koekkruimels.'

'Dat is wel duurder,' zegt het meisje.

Eddie kijkt mij aan en ik haal mijn schouders op.

'Geeft niet,' zegt Eddie. 'Hij betaalt.'

'En wat wilt u?'

'Ik hoef niks,' zeg ik.

Ik kom wel op mijn poten terecht, dat weet ik. Ik was alleen en eenzaam en kwam seksueel tekort toen ik haar ontmoette. Dat kan ik wéér. Maar als ik aan mijn flatje met mijn kleertjes erin denk, loopt er meteen een rilling over mijn rug. Weer een avond tv-kijken, weer een avond zitten met de vraag waar ik in deze wereld thuis hoor.

'Wat wil je doen?' vraag ik Eddie.

Een dubbele Blizzard blijkt een kilobak ijsprut te zijn en Eddie zit er boven op de picknicktafel met een lepel in te graven terwijl hij met bungelende benen nadenkt. Hij heeft kort haar, maar met een lange, potlooddikke vlecht die tot halverwege zijn rug hangt. Hij draagt een voetbalbroek en -shirtje, die hem niet staan, en hij heeft de scheenbeschermers en lange kousen al uitgegooid. Zelfs in vol ornaat lijkt hij niet op een Engels jongetje, zoals de bedoeling is. Hij ziet er benauwd en zenuwachtig uit, als een indiaan in een pak op zo'n oude foto, van wie je nooit weet of hij voor de gek wordt gehouden.

'Hé, tof,' zegt hij, 'laten we met de Suzuki gaan rijden.'

Hij zegt het stoer en nonchalant, terwijl hij in zijn Blizzard kijkt. Hij zegt het elke week wel één keer. Maar deze keer verras ik hem.

'Oké,' zeg ik. 'Kom op.'

Hij staart me met samengeknepen ogen aan, probeert te zien of ik het meen.

'Drink op,' zeg ik. 'Of eet op, wat is het, dan gaan we.'

'Dat zal de mamba niet leuk vinden.'

'Ze zei dat het goed was,' zeg ik; en dan, als hij met iets

geknepen ogen naar me opkijkt, zeg ik: 'Tenminste, ik dacht dat ik haar zoiets hoorde zeggen.'

'O,' zegt Eddie.

Hij denkt even na.

'Tof,' zegt hij.

Een uur later rijden we boven het dal, over de brandweg waar ik een maand geleden heb gewerkt, ver voorbij de huizen die we hebben gered, diep in de verkoolde bossen. Eddie heeft alle winterkleren aan die hij bezit en ik ben degene die kou lijdt. Maar Eddie heeft het naar zijn zin en ik ben niet van plan te stoppen. Ik hoor hem achter me in zichzelf zingen. Ik voel hoe hij zich aan me vasthoudt.

Afgebrand gebied flitst voorbij in vlekken zonlicht en schaduw, groen en zwart en grijstinten. De zon is verblindend als ik hem pal in mijn gezicht krijg. Ik moet vaart minderen om zelf scherp te blijven en te gissen naar de weg, die in de schittering is opgegaan. De weg is afgeragd en beschadigd: kale aarde met bulldozersporen en modderplekken, alles even vuil, de groene bladeren in de grond getrapt, met modder overspoeld. Waar er nog groene bladeren zijn, aan de ene kant van de weg. Ik kom op een kleine open plek waar je kunt uitkijken over de brandschade en ik zet de motor af en ineens is het overal om ons heen stil.

'Hier maakten we het tegenvuur,' vertel ik Eddie. 'De brand kwam over die heuvelrug daar en het vuur kroop naar ons hier beneden. Op deze weg maakten we het tegenvuur, en dat fikte zo terug naar de grote brand en doofde die.'

Eddie zegt niets, zet alleen zijn helm af en kijkt om zich heen. Hij is een beetje overdonderd, denk ik. Of misschien ben ik gewoon gewend aan de rook, de smaak van rook en koolteer achter in mijn keel. Als de wind opsteekt, horen we takken afbreken en neervallen op de heuvels voor ons. Af en toe valt er een hele verbrande boom om. Een indrukwekkend geluid.

'Tof,' zegt Eddie.

'Groot, hè?'

'Het lijkt wel of hier een leger langs is gekomen,' zegt Eddie. 'Het lijkt wel een oorlog.'

'Je bent warmer dan je denkt,' zeg ik. 'We hadden hier vijfhonderd soldaten uit Georgia in de week dat de boel uit de klauw begon te lopen.'

Die over hun eigen pik struikelden. Maar dat zeg ik niet tegen Eddie.

'Het lijkt wel of alles hier dood is,' zegt Eddie.

'Daar zul je nog van opkijken,' zeg ik. 'Als je over een jaar of twee terugkomt, dan is het allemaal weer aan het groeien, en vind je hier van alles terug. Dieren, planten, bessen. De elanden zijn er echt gek op.'

'Je hebt gelijk,' zegt Eddie. 'Daar zal ik van opkijken.'

We staan er een tijdje stil, luisteren naar de wind die door de geblakerde bomen waait, en ademen as en rook in. Er is hier iets reusachtigs gebeurd, iets onbeheersbaars, je kunt het voelen. Ik vraag me af hoeveel Eddie zich hier later van zal herinneren. Ikzelf herinner me van mijn tiende of elfde alleen kleine flitsen en beelden en soms de geur van een bepaalde soort pijnboom. Ze hebben hier in het Westen niet de reuzen-den die we in

56

Noord-Carolina hadden, maar er is een soort white pine die bijna net zo ruikt: naalden die in de middagzon drogen. Misschien ruikt Eddie als hij groot is een kampvuur en denkt hij hieraan terug.

'Ik ga net zo'n wereld maken als deze,' zegt Eddie.

'Wat?'

'In Warcraft Drie,' legt hij uit aan het achterlijke vriendje. 'Dat zou vet cool zijn, om zo de monsters uit het dal omhoog te laten komen. Is daar nog brand?'

Ik kijk naar beneden; er komt rook uit een stapel bomen die als lucifers op elkaar zijn gevallen.

'Dat blijft branden tot het gaat sneeuwen,' vertel ik hem. 'Het vuur gaat nooit helemaal uit. Maar dat is niet erg, want er is niet veel meer over dat kan branden.'

'Daar beneden loopt een hond,' zegt Eddie.

Ik kijk de heuvel af en zie niks, niks bewegen, alleen de zwarte stompen en het grijze stof dat over de zwarte grond waait. Opeens zie ik wat hij bedoelt: een grijs stipje dat zich langzaam, ongehaast over afgebrand terrein verplaatst.

'Het lijkt wel een stinkdier of een wasbeer,' zeg ik tegen Eddie. 'Het is te klein voor een hond.'

'Het is een hondje.'

'Ik heb een bril nodig.'

'Echt, hoor.'

Ik wou dat het niet zo was, maar Eddie heeft gelijk: het is een hond. Shit.

'Wat moet hij daar beneden?' zeg ik.

'Niet veel,' zegt Eddie. 'Zijn huis zoeken.'

'Dat is hem,' zeg ik. 'Dat is die hond.'

'Welke?'

'Weet je nog van die drie huizen die zijn afgebrand?' vraag ik. 'Daar bij O'Brien Creek? Ze hebben allemaal al hun spullen kunnen meenemen, behalve dat ene gezin, dat stond gepakt en gezakt klaar om te vertrekken. Maar de hond sprong uit de auto en rende terug, net toen ze weg zouden gaan. Het heeft in de krant gestaan.'

'Zijn ze hem niet gaan halen?'

Eddie kijkt ontdaan en verbluft en boos; ik was vergeten dat hij eigenlijk nog een kind is. In Eddies wereld zou niemand ooit zijn hond achterlaten, zou niemand ooit zeggen: laat maar, het is maar een hond. In Eddies wereld rennen mensen hun brandende huis weer in, keren ze verongelukte auto's om, om het leven van hun hond te redden. Lopen ze niet zomaar weg. Dat zouden ze niet kunnen.

'Dat mocht niet van de brandweer,' zeg ik tegen Eddie. 'Het vuur kwam al over de heuvel heen.'

'Dan hadden ze hem nog kunnen halen.'

Het had gekund, maar de waarheid is dat ze het niet hebben gedaan. Alleen heeft Eddie nooit die muur van vuur op zich af zien komen, nooit het lawaai gehoord dat ermee gepaard gaat.

'Ik ga de hond halen, dan kunnen we hem aan ze teruggeven,' zeg ik tegen Eddie. 'Jij wacht hier.'

Hij kijkt omhoog en kijkt dan mij aan. Dat wil hij niet.

'Er zijn nog hete plekken,' zeg ik. 'Als je daar met je gympies op trapt brand je jezelf. Ik meen het.'

'Ik zal voorzichtig zijn,' zegt Eddie.

Ik kijk hem zijdelings aan – als er iets is wat Eddie

nooit is, dan is het voorzichtig – maar hij wil mee. En ik ga niet zeggen dat het niet mag.

Daar komt bij, als we de heuvel beginnen af te lopen, begint het me te dagen dat ik wil dat hij me dit ziet doen. Ik wil iemands held zijn, ten minste voor een dag. Wie weet halen we zelfs de krant, als hondenredders. Eddie blijft dicht achter me en ik hoor hem neuriën, een beetje in zichzelf zingen, wat hij doet als hij gelukkig is. Opeens voel ik iets in me breken, een soort kleine dam die het gevoel tegenhield, en ik besef opeens wat ik allemaal voor hem zou kunnen doen, hoe hij me zal missen en hoe ik hem zal missen.

'Hou op,' zeg ik.

'Waarmee?'

'Dat zingen,' zeg ik. 'Hou ermee op.'

'Ik wist niet eens dat ik zong,' zegt hij en hij houdt op, wat het nog erger maakt. Waarom mag hij niet gelukkig zijn? Waarom mogen we het geen van tweeën niet?

Even later begint hij weer, waardoor ik me nog rotter voel, maar deze keer vraag ik hem niet op te houden.

De weg omlaag is rotsachtig en ligt vol steenslag, wat goed is, want daar brandt niets. Ik val een paar keer op mijn gat, maar Eddie glijdt nooit uit. Om ons heen is er overal vuur, niet helemaal gedoofd, nog smeulend in de zwarte takken en staande stompen. Hier, van de weg af, is de stank erger en voelt het gevaarlijk. Eddie hoort hier niet te zijn. Nancy zou me voor de rechter slepen als ze het wist.

En opeens, halverwege de helling, zijn we de hond kwijt. Dat wil zeggen, ik kijk naar mijn voeten en de rot-

sen voor me, probeer een weg naar beneden te kiezen, en
als ik opkijk is de hond verdwenen.

'Zie je hem?' vraag ik aan Eddie.

'Wie?' zegt hij, en ik weet meteen dat hij heeft lopen
dromen, weer zijn tevreden liedje zong.

'Die hond,' zeg ik.

'Hij is daar ergens beneden,' zegt Eddie. 'We vinden
hem heus, maak je maar geen zorgen.'

'Ik maak me geen zorgen,' zeg ik, al zou ik dat moeten doen. We horen hier niet te zijn en het wordt gauw
donker. De zon is al onder achter een van de afgebrande
heuvels en alles is zwart of grijs, geen kleur, geen water,
niets dan as en rook.

Wanneer we op de plek komen waar we de hond zagen: niets.

'Waar is hij gebleven?' vraag ik aan Eddie.

'Daar,' zegt hij. 'Hij is daarzo.'

'Zag je hem?'

'Nee, ik – maakt niet uit,' zegt Eddie verlegen. 'Echt,
hij is daarzo.'

Hij wijst en ik zie een paadje tussen de geblakerde bomen en verkoolde troep en ik volg het, terwijl ik me af-
vraag wat er daarnet gebeurde. Wat wist Eddie? Bovendien wordt het steeds donkerder om ons heen. Ik zal
straks op de rit naar huis in ieder geval sterven van de
kou.

En daar voor me is de hond.

Hij staat naar me te kijken, een hond iets groter dan
een kat, ooit iemands knuffeldier. De vacht is lang en
dof, zit onder de as, de oogjes staan groot en bang. Een

lang moment van stilte waarin ik naar de hond staar en de hond naar mij.

Als ik mijn hand naar hem uitsteek, springt het beest op me af en bijt in mijn hand, hard.

'Klein kreng,' zeg ik en probeer mijn hand los te rukken, maar de hond houdt vast, en wel zo hardnekkig dat hij blijft hangen als ik mijn arm optil om het beest weg te slingeren. De lucht klapt op de lap huid die de hond heeft opengetrokken en de pijn komt snel en scherp. De hond schiet terug naar de rand van de kleine open plek. Hij heeft nog niet geblaft, nog geen kik gegeven. Ik trek mijn zakdoek uit mijn achterzak en wikkel die om mijn hand. Ik wil nog niet zien wat de beet heeft aangericht. Ik wil het niet weten.

'Hé, kereltje,' zegt Eddie. 'Hé, jochie.'

Hij zit voor me op zijn knieën tegen de hond te praten. Hij weet dat ik het beest een rotschop geef zodra ik de kans krijg, en dat zal ik ook doen ook. Het is alsof ik er niet eens ben, zoals hij tegen de hond praat, zo kalm, zo zachtjes; alsof dit allemaal niet bestaat, ik niet, de rook niet, de zwarte bomen en het invallende donker niet. Eddie zit daar gewoon op zijn knieën langzaam en zachtjes over niks te praten, dingen te zeggen als: hé, boef, hé, jochie, hé, hondje, hoe is het met je?

En ik voel het. Het werkt.

Het werkt ook op mij, zoals ik de woede van me af laat vallen, maar ook de angst, het naderende donker, mijn bloedende, opengereten hand en de rook en as om ons heen. Eddie weet iets, iets wat ik niet weet.

Na een minuutje loopt de hond gewoon naar Eddie

toe, legt zijn kop op zijn schoot en rolt dan op zijn rug, buik omhoog.

'Het is een meisje, hè?' zegt Eddie.

'Het is een meisje, zeker weten.'

'Ze is zo moe,' zegt Eddie. En hij heeft gelijk, je kunt het zien, het is alsof ze alles ineens openlijk en kwetsbaar opgeeft. Het is best als we haar meenemen, het is best als we haar afmaken. Ze legt zich in Eddies handen. Ze geeft zich helemaal bloot. Je voelt hoe bang en moe ze is geweest, toen ze alleen door het afgebrande bos liep, naar een huis zocht dat er niet meer was, naar een gezin, een baas, naar iemand.

'Laten we gaan,' zeg ik tegen Eddie. 'Het wordt donker.'

'Nog even,' zegt hij. Hij heeft nog even tijd nodig om haar op haar gemak te stellen, denk ik. Zoiets. Ik heb geen flauw idee wat hij aan het doen is of hoe hij het doet, maar hij doet het. Hij trekt zijn buitenste jack uit – hij heeft er een stuk of drie aan – en ook de trui eronder, en die wikkelt hij om het hondje en stopt ze dan alle twee weer onder zijn jack. Het hondenkopje steekt boven de rits uit, net onder zijn kin.

'Zo,' zegt hij. 'We kunnen.'

Eddie gaat als eerste naar boven, met mij erachteraan om hem op te vangen als hij valt, maar hij heeft me niet nodig. Ik besef pas hoe donker het is geworden als ik de motor start en de koplamp in de bomen zie priemen. Eddie klimt achterop, met het hondje nog steeds ingestopt in zijn jack. Ik verbeeld me dat ik haar hartslag op mijn rug kan voelen, al weet ik dat het onzin is.

De terugrit naar de stad is zo koud dat ik mijn hand niet eens meer voel, koud en nog kouder, met de wind die in mijn gezicht striemt en Eddie die zich stevig aan me vasthoudt. Ik ga langs de brandweerkazerne bij het Fort. Ik stel me voor dat iemand blij zal zijn om deze hond weer te zien. Misschien komt onze foto wel in de krant.

Maar als we de binnenplaats op rijden, is er niemand te zien.

Een maand geleden was het hier net een slagveld: helikopters die af en aan vlogen, terreinbrandweerwagens en een enorm tentenkamp van brandbestrijders aan de achterzijde. Nu is het alsof iemand de stekker eruit heeft getrokken. Ik zet de motor af en we gaan op zoek naar iemand, wie dan ook. Het is vreemd, het was zo belangrijk, zo'n gigantische operatie, zo'n gevoel dat het ertoe deed, dat er levens en huizen en zelfs steden op het spel stonden en nu is het voorbij. We moeten drie deuren proberen voor we er een vinden die niet op slot is.

Binnen zit een wachtofficier aan een tafel met een telefoon en een computer waarop hij aan het patiencen is.

'We hebben de hond gevonden,' zegt Eddie. 'De hond die kwijt was.'

Hij ritst zijn jack open, pakt de hond en zet haar op de grond. In het plafondlicht zie ik dat ze ooit wit is geweest, dat haar ogen rood zijn, dat haar poten gewond zijn, waarschijnlijk verbrand.

'Waar hebben jullie die gevonden?' vraagt de wachtofficier.

'Op het bosbrandterrein op de Black Mountain,' zeg

ik. 'Ik wou het hem laten zien – ik heb bij die brand gewerkt.'

'O, werkelijk?' zegt de wachtofficier, maar hij is niet
in mij geïnteresseerd. Hij komt achter het bureau vandaan en zakt op zijn hurken om de hond in de ogen te
kijken.

'Waar is je baas?' vraagt hij. 'En wat deed je in godsnaam op de Black Mountain?'

'Het is de hond die was weggelopen,' zegt Eddie.

De officier blijft zo een tijdje, kijkend naar de hond,
zitten denken. Dan richt hij zich weer op.

'Ik denk van niet,' zegt hij. 'Dat was een kruising met
een labrador. Een grote hond. Dit is hem niet. Jullie kunnen die hond beter naar een dierenarts brengen.'

Ik kan Eddies gezicht niet zien, maar ik ken de teleur-
stelling die ik voel. Ik zou één keer eens iets goed willen
doen, willen dat het lukte. *De kluns die altijd met mijn
moeder uitging.* Dit had iets echts kunnen zijn, iets om
aan terug te denken.

Maar zo'n jongen is Eddie niet. Hij grinnikt als hij
zich naar me omdraait.

'Tof,' zegt hij. 'Dan houd ik hem!'

'Daar zou ik eerst maar eens met je moeder over praten.'

Eddie steekt zijn pink naar me toe en cirkelt ermee in
de lucht. 'Kan ik om mijn vinger winden,' zegt hij. 'Ik
kan haar precies krijgen waar ik haar hebben wil.'

'We zullen zien,' zeg ik. 'Dat moeten jullie samen
maar uitmaken.'

'Nou,' zegt de wachtofficier. 'Aan het werk maar weer.'

'Gebeurt er nog wat?'

'Alleen opruimen,' zegt hij. 'Door die regen van vorige week is alles vrij goed gedoofd. Flinke sanering, hè.'

Eddie tilt de hond op en stopt haar weer in zijn jack. Ze laat zich graag oppakken, ze likt zijn hand. Ik voel het bloed opkomen en sijpelen waar ze me gebeten heeft en heb op dat moment het idee dat iedereen op de wereld binnen is en ik alleen buiten; dat iedereen warm en veilig is, dat de kring van liefde gesloten is, dat ieder ander binnen zit en ik buiten in het donker sta. Zo voel ik me.

Nancy zit op ons te wachten als we bij haar huis aankomen. Ze loopt de veranda op om naar me te schreeuwen.

'Waar hebben jullie in godsnaam gezeten?' zegt ze.

'Hoor je niet te werken?' vraag ik haar.

'Ik heb gebeld en gebeld en je was er niet,' zegt ze. 'Je was niet hier en je was niet bij jou thuis. Waar hebben jullie gezeten?'

Dan ziet ze de bloedende hand, de motor heeft ze al gezien. Snel kijkt ze naar Eddie om te zien of alles goed met hem is en op dat moment ziet ze de hond.

'Wat is dat, verdomme?' zegt ze. 'Hoe kom je aan dat beest?'

'Ik ben zo terug,' zegt Eddie en hij glipt door de zijpoort weg en laat ons tweeën in het verandalicht staan. Hij kan er nooit tegen om ons ruzie te horen maken. Even denk ik dat Nancy achter hem aan gaat, maar uiteindelijk schudt ze alleen haar hoofd.

'Wat heb je met je hand gedaan?' zegt ze.

'Dat beest heeft me gebeten.'

Haar ogen worden groot.

'Ze zal Eddie niet bijten,' verzeker ik haar. 'Maak je geen zorgen. Hij heeft de gave.'

'Hoe bedoel je?'

Dan leg ik het uit – over de motorrit, het bosbrandgebied, het hondje onder aan de heuvel en Eddies kunstje. Onder de schelle verandalamp leg ik uit dat ik Eddie een stukje van mezelf wilde laten zien dat hij nog nooit had gezien, de kick die ik van motorrijden krijg, de plek waar ik heb gewerkt en het soort werk dat ik heb gedaan. Ik kan haar gezicht helemaal niet zien – ze staat met haar rug naar het licht – dus ik weet niet hoe Nancy het allemaal opneemt, maar ik zeg dat ik haar zal missen, dat ik Eddie ook zal missen. Maar dat het kennelijk tijd is dat ik mijn biezen pak.

Nog kan ik haar gezicht, donker tegen het licht, niet zien. Zo dadelijk zal ze me laten gaan. Maar ze zegt: 'Nee, blijf. Blijf in ieder geval vannacht. Ik heb nu de avond vrij.'

Het zal niet helpen. Dit houdt toch nooit op. Ik voel de platen en de planeten splijten, de grond onder mijn voeten wegzakken. En morgen moeten we dit allemaal weer opnieuw doen. Maar vannacht wil ik binnen zijn, binnen in de verlichte kamers van Nancy's huis, dezelfde lucht inademen als zij en Eddie en dat maffe hondje.

'Oké,' zeg ik. En ik laat mezelf meenemen, het korte trappetje op en de warmte van haar huis in, naar haar badkamer, waar ze de zakdoek van mijn hand pelt. De jaap ziet er niet zo groot of ernstig uit als hij voelt.

'Laat me eens kijken,' zegt ze. 'Doe je jack uit.'

Op de brandplek

Ik doe wat ze zegt, wacht op haar in haar badkamer terwijl ze een wondpleister, een flesje waterstofperoxide,
een rol verbandgaas en een rolletje leukoplast bij elkaar
zoekt. Nancy draait de warmwaterkraan open en tuurt
dan in mijn gewonde handpalm alsof daarin mijn toekomst ligt.

'Dit gaat pijn doen,' zegt ze.

Ze waren vervangbaar

Na je dood kwam het jaar van televisiekijken. 's Ochtends de *Today*-show en internetradio op mijn kantoor, niets dan betekenisloos lawaai. Lunchen bij de Griek die altijd de Atlanta Braves had opstaan als ze werden uitgezonden. De avonden bracht ik door in de sprookjeswereld van de kabel, zeventig kanalen pulp, honkbalpulp, infomercialpulp, natuurfilmpulp, Letterman-Leno-Conanpulp.

Ik zakte vaak naar kanaal 54 af, het oorlogsfilmkanaal. Vroeger was het meer een vergaarbakkanaal voor oude films, maar dat jaar was het een en al oorlogsfilm, vooral de Grote: Wee O Twee. Patton en ik joegen Rommel door Noord-Afrika, admiraal Yamamoto en ik bombardeerden Pearl Harbor tijdens een brutale aanval overdag. Ik maakte deel uit van The Greatest Generation: twaalf blikjes Rainier en drie uur *Tora! Tora! Tora!*. Cliff Robertson en ik zwommen naar de kust vanaf het wrak van de MTB 109.

En John Wayne en ik namen afscheid van Donna Reed, in de wetenschap dat we elkaar in dit leven niet meer zouden zien, op de Filippijnen noch elders. We maakten er geen drama van, huilden niet. We zouden allebei op onze eigen manier tegen de jappen vechten. Nooit opgeven.

En – nu ik toch aan het opbiechten ben – ik kocht een seksvideo bij de pornoshop in de stad. Op de voorkant stond een ordinaire, zwartharige schoonheid, maar binnenin zat een even blonde vrouw als jij, wat een vergissing was. Ze had een heel ander gezicht en enorme borsten. Maar soms, als ik haar achterhoofd of haar onderrug zag, of een kleine beweging die ze met haar hand maakte, moest ik toch aan jou denken. Met name een moment in een van de verhalende passages tussen de seksscènes, een moment waarop ze haar gezicht naar het licht keerde, net voordat haar gezicht volledig in beeld kwam, een glimp vuil blond haar en een klein oor en een glimpje hals – dan zette ik dat beeld wel eens stil omdat ik het idee had dat jij het was.

En weet je, al onze vrienden toonden zich echte vrienden: ze nodigden me uit voor honkbalwedstrijden, voor picknicks, voor etentjes en wandeltochten. Ik deed zoveel ik maar kon opbrengen. Ik wilde hun gevoelens niet kwetsen. Op dagen in het footballseizoen, wanneer ik niets liever wilde dan op de bank liggen kijken naar de Lions, de Packers, de Vikings en de Saints – dagen die soepel als water door mijn vingers zouden zijn gegaan – pakte ik mijn heuptasje in met mijn verrekijker en waterfles en hobbelde achter Bruce en Nancy aan de bergpaden op. Ik was niet echt dik, maar het begon te komen met al dat Amerikaanse bier en football. Ik raakte buiten adem en kreeg meestal een bui op mijn kop en in wezen, maar dat kon ik Bruce en Nancy niet zeggen, in wezen gaf ik geen reet om de grootse natuur van de Columbia Gorge. Ik wilde gewoon thuiszitten met mijn afstandsbediening.

Maar thuis was de enige plek waar niemand me wilde hebben. Ze begrepen het niet – dat thuis de enige plek was waar ik zonder jou kon zijn, verdwaald in de regenachtige Filippijnen, bezig met het torpederen van de jappen.

Of misschien was het dit: op een of andere manier werd het mijn taak om dingen die ze niet mochten weten voor hen te verbergen. In de wereld van Bruce en Nancy, in die van Tom en Chris en Janet en Jenny, was het mogelijk om te troosten. Die kleine noodzakelijke bewijzen van vriendschap, die etentjes, films en balletvoorstellingen (ja, ik ben naar ballet geweest, meerdere keren) waren niet genoeg maar ze waren niet *niks*. Ik kon niet, zonder hun gevoelens te kwetsen, zeggen dat ze het in wezen erger voor me maakten door me aan het voelen, denken en praten te zetten.

En ik wilde hun gevoelens niet kwetsen. Wat ik heb geleerd is dit: er is genoeg leed op deze wereld; lijden heeft geen zin; soms zijn dingen niet te begrijpen.

Dus toen Jenny langskwam om te vragen of ik mee naar de film wilde, toen ze eigenlijk naar mijn huis kwam om even te kijken (want ze waren eraan gewend geraakt dat ik me achter het antwoordapparaat verschool), toen kon ik geen nee zeggen. Ik moest haar helpen geloven in haar vermogen om te helpen.

Ze trof me in mijn joggingbroek en T-shirt, terwijl ik in mijn eentje afhaalchinees zat te eten in de blauwe flikkergloed van *Who Wants to Be a Millionaire?* 'Nee, ga mee,' zei Jenny. 'Om mij gezelschap te houden. Het is een vreselijke romantische vrouwenfilm en Tom moet vanavond werken.'

'Hij zou sowieso niet met je meegaan,' zei ik.

'Nee, maar jij wel,' zei Jenny. 'Ik sleep je mee.'

'Neem een loempia,' bood ik aan.

'Heb je weer gerookt?'

'Niet zoveel.'

'Hmmm,' zei ze en ze pakte de loempia, begon eraan te knabbelen en liet, zodra haar ogen aan het donker gewend waren, een lange onderzoekende blik over mijn salontafel gaan: een hasjpijpje, nog uit mijn studententijd, lag daar in volle glorie, samen met een paar lege bierblikjes, witte bakjes met babi pangang en gebakken rijst, een halfleeg pakje Camel Light en een van jouw gebloemde theekopjes vol met as en peuken.

'Je gaat naar de film,' zei ze. 'Geen ontkomen aan. Schiet op! Hup hup!'

Ik weet niet meer welke film het was – het kan zelfs wel *Sleepless in Seattle* zijn geweest – maar ik zal je vertellen hoe het voor mij was. Ik zat in het donker met een vrouw naast me, alleen al de nabijheid en de geur van zoetige cosmetica, misschien was het parfum misschien een of andere huidlotion of crème. In al die tijd die we samen waren heb ik nooit precies kunnen ontdekken wat wat was, en nadat je overleden was heb ik al dat spul gewoon bij elkaar geraapt en in de vuilnisbak gemieterd. Maar het was alleen al hoe een vrouw ruikt en af en toe het onbedoelde contact van blote arm tegen blote arm. Er kwam geen eind aan die film.

En na afloop gingen we naar het Virginia Café daar in de buurt, terwijl ik thuis had kunnen zitten om *Sands of Iwo Jima* te zien, dat weet ik, want ik had het in de tv-gids gezien. Ik luisterde hoe Jenny klaagde over Tom die zoveel werkte. Voor haar was het gewoon de VC, de tent waar we altijd kwamen voordat we het allemaal zo druk kregen. Ik weet dat ze het niet wist. Maar ik zat de hele tijd te denken aan dat happy hour toen ik dronken werd en tegen je zei dat ik van je hield en dat jij daar zo verbaasd over was.

En opeens – nu komt het moeilijke, lief – opeens was er dat meisje, ze kwam uit de regen het café binnen, in haar eentje, helemaal in het zwart, een vriendin van Jenny. Ze heet Eleanor.

Ze lijkt in niets op jou.

Ik weet niet zeker of Jenny erachter zat – Eleanor en ik praten daar niet over – maar je hebt gelijk, het is wel een beetje vreemd dat die vriendin van Jenny toevallig in dat café kwam waar Jenny mij toevallig mee naartoe had gesleept. Ze was je beste vriendin, ik weet het. Misschien lijkt dit op verraad en misschien ook niet.

En inderdaad was ik aanvankelijk kwaad op allebei. Het was gewoon te moeilijk, weet je, om in een café te zitten, met een meisje te praten, een drankje voor haar te bestellen en nog een drankje en te vragen waar ze werkte en waar ze had gestudeerd en wat ze van Portland vond. Ze bleek uit Portland te komen. Ze speelt in een bandje dat Bastard Amber heet. Ze is veel jonger dan jij was, veel jonger dan ik en ze heeft van dat heel vreselijke punkhaar, meestal zwart op blond. Maar soms met roze plukken of kralenvlechtjes. Het is eigenlijk wel vermakelijk om te zien waarmee ze de volgende keer aankomt.

En ze is groot, had ik je dat al verteld? Het is een groot meisje. Ze lijkt echt in niets op jou.

Ik weet niet eens of je haar zou mogen.

Ze heeft een kleine flat, klein maar heel aardig en heel schoon met mooie oude houten meubels, helemaal niet wat je zou verwachten van een meisje met roze haar. Geen televisie maar een hoop boeken en platen, wat me meteen een ongemakkelijk gevoel gaf. Want ik ben niet zo, het is een spel dat ik nooit kan winnen, het laatste boek dat ik heb gelezen was *Moneyball*, over de Oakland Athletics, en daar heb ik echt van genoten. En verder hou ik best van muziek, maar het is voor mij geen geloof of zo. Als je bij Eleanor komt, heeft ze altijd haar koptelefoon op, en zo hard dat je dat iele tjirp-tjirp-tjirp door de hele kamer hoort. Je kent me: ik hou van domme bands, hou ervan om als een gek rond te springen, het geluid hard te zetten en me belachelijk te maken. Maar Eleanor houdt van die serieuze bands, Sonic Youth, Throwing Muses. Ik weet niet wat ik daarmee aan moet.

Maar goed, die avond nadat het Jenny 'te binnen was geschoten' dat ze de volgende morgen heel vroeg een 'afspraak' had en echt echt weg moest – het was pas elf uur – kon ik maar twee dingen doen: haar een handje geven en goeienavond wensen, of het spel meespelen. En ik weet nog dat ik mezelf even zag zoals een ander me zou zien: zittend op de bank in mijn korte broek en sweatshirt van de universiteit, kijkend naar Robert

Mitchum, naar James Cagney, naar Robert Montgomery, en ik dacht alleen maar: nee. Genoeg.

En toen werd ik de volgende ochtend bij haar op de bank wakker. Ik werd wakker van het geluid van de koffiemolen, en van een bedorven mond, de regen in de struiken voor haar raam en een onmiddellijke, knetterende koppijn. Eleanor verscheen in de keukendeur en keek naar me alsof ze nog nooit zoiets had gezien.

'Ik moet naar mijn werk,' zei ze. En, na een korte stilte, alsof ze tot een soort conclusie was gekomen: 'Ik voel me geradbraakt.'

'Ik nog erger.'

'Nee,' zei ze bedachtzaam, 'nee, dat kan niet. Hebben we gerookt?'

'Ik wel.'

'En heb ik gezegd dat je hier mocht roken?'

'Nee, wacht eens,' zei ik. 'Jij hebt ook gerookt.'

'Jezus, godallemachtig,' zei ze, terwijl ze naar de asbak op de bijzettafel, de lippenstiftvlekken op het wijnglas keek.

Net op dat moment begon in de keuken de ketel te fluiten. Ze liet het aan mij over om hem uit te zetten. Ik rolde de open slaapzak van mijn lijf. Ik had mijn kleren nog aan. Ik herinnerde me van de vorige avond niets anders dan gesprekken, maar er was aan het eind van de avond ook een stuk tijd weg, een geleidelijke overgang naar zwart.

In de keuken goot Eleanor water op een koffiefilter en de geur van verse koffie trok door mijn lichaam. Het zou me op de been helpen of onderuit halen.

'Je was zo schattig gisteravond,' zei ze. 'Je wilde naar huis rijden.'

'Werkelijk?'

'Weet je dat niet meer?'

Ik schudde mijn hoofd.

Ze zei: 'Er ligt een extra tandenborstel in de la naast de gootsteen,' wat ik als een hint opvatte. Mijn gezicht in de spiegel, vond ik, leek een beetje op Lon Chaney in de eerste fasen van zijn verandering in Wolfman. De tandenborstel lag precies waar ze had gezegd, in zijn mooie, niet open te krijgen verpakking, zodat ik me begon af te vragen waar ik aan begonnen was. Hoe vaak deed ze dit, hoe doorgewinterd was ze?

En toen moest ik opeens aan jou denken, kwam jij in me op. En ik had dat overweldigende gevoel van verraad, alsof ik door je te vergeten – door te drinken, te praten en te doen alsof jij nooit in mijn leven was geweest – jou had laten verdwijnen. Want ik wist dat mijn hart de laatste plaats op aarde was waar je leefde. Ik zag je gezicht voor me, ik voelde je huid in de palmen van mijn handen.

'Wat is er?' vroeg ze, toen ik weer de keuken in kwam; en direct erop zei ze: 'O.'

'Niets,' verzekerde ik haar. 'Niets wat met jou te maken heeft.'

'Ik weet het,' zei ze. 'Ik bedoel, ik weet het niet. Maar je hoeft het niet te zeggen.'

'Nou ja...'

'Sssst,' zei ze en ze gaf me een kop warme koffie. Daarna keek ze me nog een lang ogenblik peinzend aan, stelde ze mijn gezicht een of andere vraag, kwam toen met haar gezicht naar het mijne en kuste me, langzaam en zacht.

Ik liet me dus wel kussen.

Daarna deed ze een stap naar achteren en keek me opnieuw onderzoekend aan.

'Eleanor,' zei ik. Maar ze suste me. 'Geen uitleg,' zei ze. 'Geen gepraat, geen verwachtingen. Ik was gewoon nieuwsgierig hoe het zou voelen.'

'En?'

Eleanor lachte. 'Ik voel me geradbraakt,' zei ze.

En wat... wat gebeurde er op dat moment? Ik voelde er later aan, droeg hem met me mee, voelde de nawerking van die kus nog dagenlang alsof die net had plaatsgevonden. Het beste wat ik erover kan zeggen is dat het iets van herkenning was, een plotselinge herkenning dat daar iemand was, levend en warm in de koude wereld. Eigenlijk was het heel vreemd. Ik had geen idee wat er in die keuken was gebeurd of wat er verder zou moeten gebeuren – als er al een verder was. Maar als ik op het werk was, of in mijn bed, of op een druk, regenachtig trottoir in de stad, dan kwam het beeld van dat ogenblik weer bij me boven, de kus, die vragende blik, en telkens als ik me dat herinnerde, hield ik even op met wat ik ook aan het doen was, en lachte ik.

Ik voel dat jij hiermee verder bent dan ik. Jij kende mijn geheimen altijd voordat ik ze zelf kende – wat niet zo moeilijk is – ik struikel als een blinde mee. Ik probeer het ene te bereiken en het andere te pakken en als ik eindelijk inzie welke kant het opgaat, vind ik jou daar altijd op me wachten. Je kent me nog altijd beter dan wie dan ook.

Maar we gingen niet met elkaar naar bed, niet in het begin. We brachten de maand erop door met samen dronken worden, flink dronken. Ik werd nog twee keer bij haar op de bank wakker, een keer met een monopoly-pion – het metalen Scotty-bedeltje – stevig in mijn vuist geklemd.

Toen was het tijd.

Ik weet niet hoe we het wisten, maar het was tijd. Eleanor belde me op mijn werk, wat ze inmiddels mocht, en ik hoorde het aan haar stem. Het vervulde me met een soort angst die ik in mijn lijf kon voelen, een streep die we over moesten. Ik wilde het, zij wilde het, op een rare manier wilden we het geen van beiden, maar we moesten. Het was tijd. Ik sprak met haar af in de stad en we gingen eten in een restaurant waar jij nooit was geweest, daar zorgde ik voor. Ik droeg kleren die ik in het jaar na jouw dood had gekocht. Praten en praten, praten over niets. Eleanor en ik hadden intussen al een maand gepraat, gedronken en om elkaars grappen gelachen, maar die avond schenen we het niet te kunnen. We zaten daar maar een beetje met de sushi over ons bord te schuiven en toen was het tijd. We kochten een fles goede champagne en gingen naar de flat van Eleanor, waar jij nooit bent geweest, waar je nooit zult komen, behalve die avond.

We kleedden elkaar uit met het fatsoen van volwassenen die hun verjaarscadeautjes uitpakken, aandacht schenken aan de versiering, er de tijd voor nemen. Haar lichaam vond ik eerst niet mooi. Ze was zo anders dan jij, zo groot, en in het licht stond ze erbij alsof ze zich voor haar lichaam schaamde.

Maar in het donker was ze sterk en groot en mooi en wist ze wat ze wilde.

Het gebeurde niet.

En nadat het niet was gelukt, gingen we weer op haar bank zitten en probeerden we te praten, maar we konden niets bedenken.

'Ik weet het niet,' zei ze uiteindelijk. 'Ik moet hierover nadenken.'

'Dat weet ik.'

'Nee, dat weet je niet,' zei Eleanor. 'Ze is overal, overal om je heen. Het is net een soort mist. Telkens als ik je zie, verdwijn je weer in de mist.'

'Het spijt me,' zei ik.

'Je hoeft je niet te verontschuldigen,' zei ze. 'Het heeft niets te maken met wat je wel of niet hebt gedaan. Tenzij je iets voor me verzwijgt.'

We lachten een beetje stroef naar elkaar, een hele-maal-niet-leuklachje.

'Ik heb niets gedaan,' zei ik. 'Ik heb dát in ieder geval niet gedaan.'

Maar weet je, het moet hebben gelegen aan de manier waarop ik het zei, op de een of andere manier had ik het gevoel dat ik een grap over jou maakte – Eleanor zag jou in mijn gezicht en schrok van me terug. Ik voelde haar lichaam fysiek afstand van me nemen, alsof mijn aanraking haar afkeer inboezemde.

'Het spijt me,' zei ik nogmaals. 'Misschien moet ik gaan.'

'Misschien moet je dat maar doen,' zei ze.

Er zat iets bedorvens in me, iets in mijn lichaam, iets

wat verkeerd zat en verging. Zo voelde het later, terug op mijn eigen bank, behalve dat het lawaai nu niet hielp. De nachtdrukte van de televisie kon de nabeelden van haar zachte hand en dan haar mond op mijn pik, de verwarring en het verdriet in haar ogen niet verdringen. In ieder geval hadden we de vraag beantwoord. In ieder geval wísten we het: ik hoorde hier, bij jou en nergens anders op de wereld.

Opeens was het makkelijk, liet ik het min of meer gaan. Ik dronk tot er niets meer te drinken was, meldde me de volgende ochtend ziek en ging weer naar bed.

De twee volgende dagen hoorde of zag ik niets van haar.

Op de avond van de derde dag kwam ze onaangekondigd langs. Ik zat weer op mijn bank, een biertje in mijn hand en de restanten van een pizza op de lage tafel voor me. Na die eerste nacht dronk ik me niet meer over de kop, maar hield een gestaag tempo aan, mikte het zo uit (of probeerde het zo uit te mikken) dat ik aan het eind van de avond kon slapen. Er zullen wel wat lege blikjes en sigaretten en zo op de tafel hebben gelegen. Ik had de lampen niet aan, en de televisie vulde de kamer met een trillerig blauw licht, alsof ik onderwater zat.

De deurbel ging en ik wilde niet opendoen. Het ging goed met me, en als het niet helemaal goed met me ging, was ik ook niet echt aanwezig. Zo dicht bij niets als ik maar kon komen. Zo wilde ik het. Maar het blauwe licht verraadde me; de deurbel ging opnieuw.

Eleanor zag er in het portieklicht klein en verdrietig uit.

'Kom binnen,' zei ik. 'Ga zitten. Wil je iets drinken?'

'Hoeveel heb je gedronken?'

'Niet zoveel.'

Ze keek naar mijn gezicht. 'Geef me dan maar wat,' zei ze. 'Iets om op te kikkeren, wodka of zo. Heb je wodka?'

Ze ging akkoord met jenever, een echt speciaaltje van achter uit de drankkast, overgebleven van een recept of een feest. De rest had ik soldaat gemaakt. Dit was de eerste keer dat ze bij mij thuis was en ze liep behoedzaam door de donkere gang, alsof ze daar in een val kon lopen. Ik trok nog een biertje open, we gingen samen op de bank zitten en ik wachtte op het slechte nieuws. Het slechte nieuws was op haar gezicht te lezen, zelfs bij het flauwe licht van de tv.

'Hoe is het met je?' vroeg ze.

'Gaat wel,' zei ik. 'Ik heb je gemist.'

'Je hebt niet gebeld.'

'Ik wist niet of dat de bedoeling was.'

'Nee,' zei ze. 'Nou...'

Ik voelde het aankomen, het vervolg, en ik wilde het niet horen. Ik wist pas dat ik van haar hield toen ik haar naast me voelde, toen ik haar weg voelde gaan. Ik raakte de zachte huid van haar arm aan, zo licht als ik kon. Ik wist niet of ik van haar hield of niet, het interesseerde me ook niet of dat wel het goede woord was of niet, maar ik voelde haar weggaan en wilde niet dat ze ging.

Ik zette de televisie uit en we bleven even samen in het donker zitten, met alleen het licht dat vanuit de keuken door de gang viel. Ik kon haar gezicht niet zien: een witte vlek in het schemerlicht. Ik raakte haar borst aan door de stof van haar shirt.

'Niet doen,' zei ze en ik haalde mijn hand weg.

Maar toen kuste ik haar, ogen dicht, mooi.

Ik voelde haar verstijven onder mijn aanraking en daarna voelde ik haar lichaam onder me ontspannen en ik wist wat ze voelde: wat er ook, wat er verder ook gebeurt, laat het maar gebeuren, het is veel te ingewikkeld om uit te zoeken.

En het volgende moment ging ik haar voor door de donkere gangen van ons huis en daar was jij en dáár en dáár en toch nam ik haar mee – door de gang naar achteren in ons huis, naar onze slaapkamer, ja en ik stond haar daar op diezelfde plek uit te kleden, met hetzelfde geluid van water op de bladeren door het open raam, ja de lakens die jij had gekocht, ja het dekbed, ja de foto aan de muur die jij had gekocht op de zondagmarkt keek toe terwijl ik haar uitkleedde en toen lagen we op het bed – ons bed – en met woede en iets van wanhoop stootte ik in haar en al die tijd dacht ik aan jou.

En al die tijd dacht ik aan jou, ik dacht aan jou terwijl ik de blote huid van haar hals kuste en haar borsten kuste en Eleanor – dat moet je haar nageven – Eleanor was bang en voorzichtig en ze heeft misschien een ogenblik gehuild, het was donker, ik kon het niet zien. Het voelde gewelddadig en verkeerd wat we deden. Het voelde als bloed, als brekend glas.

Je was er nog steeds toen we ophielden.

Dit is wat ik je wilde vertellen, lief: dat het leven het leven liefheeft. Jij was er, maar Eleanor was daar naast je.

Zij is er nog, jij bent er nog, wij met z'n drieën in een kluwen. Het was niet mijn bedoeling om je te kwetsen, ik
weet niet eens of je keek of niet, ik zal het nooit weten.
Maar het leven heeft het leven lief.

Die avond bevrijdden we ons uit de kluwen lakens,
kleedden ons gedeeltelijk aan en gingen terug naar onze
drank in de woonkamer, elkaar voortdurend vasthou-
dend, alsof de ander zou verdwijnen als we loslieten. Er
was kennelijk niets te zeggen. Het huis leek groter dan
het was in het halfdonker. We zaten een tijd zonder iets
te zeggen, dicht tegen elkaar.

Toen kon het licht aan, die ene lamp naast de bank, gedempt, en zelfs in dat licht was ze er nog. We zaten samen in de woonkamer en het kon.

'Het is hier een bende,' zei ze, al scheen ze zich er niet
aan te storen.

Ik haalde mijn schouders op. Er viel niets te zeggen.

Eleanor begon alle dingen op mijn lage tafel stuk voor
stuk aan te raken: de hasjpijp lag er nog, de bijna lege piz-
zadoos, de aansteker, ze tikte ze allemaal aan, om ze tot
werkelijkheid te maken of om ze zich eigen te maken, ik
weet niet wat het was. Met haar andere hand liet ze me
geen moment los. Toen ze bij de doos van *They Were Ex-
pendable* kwam, die ik bij de videowinkel had gehuurd,
stopte ze en staarde even naar de voorkant: John Wayne,
Donna Reed, een motortorpedoboot en een palmboom.

'Dat is een ontzettende kutfilm,' zei ze.

Het stak me. Ik had hem gehuurd toen ze niet terugkwam, toen ik dacht dat vergeefse moed iets moois was,
een deugd onder verpletterende druk. Toen ik dacht dat

dat het enige was wat ik nog had.

'Ik ben gek op die film,' zei ik.

'Tuurlijk,' zei ze. 'De kerels worden allemaal helden.'

'De vrouw ook,' zei ik.

'Maar zij ontsnappen,' zei ze. 'Alle jongens komen er ongedeerd vanaf.'

'Nee, niet waar.'

'Nou en of. Hoe kun je naar zulke dingen kijken?'

'Je vergist je.'

Maar Eleanor had gelijk. De volgende avond had ze een eetafspraak met een vriendin van buiten de stad, lang geleden gemaakt en niet te verzetten, en terwijl ik op haar wachtte (ze had beloofd na afloop langs te komen) bekeek ik de film. En het meeste was zoals ik het me herinnerde: dat opgeblazen valse sentiment, die lef en onverschrokkenheid. Ik wist dat het allemaal nep was, maar ik geloofde er ook in en had het idee dat juist dat me op de been had gehouden. Maar uiteindelijk had Eleanor gelijk: de mannen stappen in een vliegtuig en gaan de anderen leren hoe ze de Japanners moesten bevechten. Uiteindelijk waren ze onvervangbaar. Uiteindelijk ontsnapt John Wayne.

Geen plaats voor jou
op deze wereld

Mijn zoon heet Walter, hij is vier en hij bijt andere kinderen. Hij bijt ze niet vaak. Maar als hij bijt, bijt hij door, zo hard dat ze bloeden.

Hij heeft dierlijke tanden, klein en scherp. Wanneer hij niet van streek is, is het een vreedzaam joch, slaperig en gevoelig, verzot op aanraking. Hij vindt het heerlijk om ingebakerd te worden, heerlijk om te worden aangehaald. Mijn vrouw Carol-Ann heeft hem langer dan een jaar de borst gegeven, tot zijn eerste tandjes doorkwamen en boventand voor het eerst ondertand ontmoette met een tepel ertussen, toen was het afgelopen.

Ik ben bezig een huis te laten zien, originele adobebouw in Sam Hughes, dat onlangs voor veel geld is gerenoveerd en snel verkocht moet worden, als mijn telefoon gaat.

'Het gaat om Walter,' zegt Carol-Ann.

Mijn cliënten, mijn beoogde kopers, kijken me verontrust aan. Zonet waren ze op hun gemak, bijna thuis, de granieten keukenbladen aan het bewonderen. Nu heeft iets in mijn gezicht hen opgeschrikt.

'Kan het even wachten?' vraag ik.

'Tuurlijk kan het even wachten,' zegt ze. 'Ik moet hem alleen even halen.'

Waarom is ze boos op míj? Door mijn werk, mijn volharding, kunnen we ons Pampers, benzine en reisjes naar de Mexicaanse Rivièra veroorloven.

'Ik ben zo thuis, schatje,' zeg ik zo monter als ik kan en het echtpaar Drake fleurt op. Carol-Ann hangt zonder nog iets te zeggen op. Het zonlicht valt ver en stralend over de pas gewreven Saltillo tegelvloeren en de geur van koekjes hangt in de lucht. Het thuisgevoel bestaat uit allerlei kleine illusies en indrukken, de degelijke bonk waarmee een eiken deur met ijzerbeslag achter je dichtvalt, het licht van de muurkandelaars in de eetkamer, de koelte van de dikke muren op een warme ochtend.

Ik kan nooit echt een huis vinden waarmee Carol-Ann voor lange tijd tevreden is. Het heeft altijd de verkeerde buren, of te veel verkeer. Bij ons vorige huis was het een kat, eigenlijk nog een jonkie dat achter een hagedis de straat op rende en platgereden werd door een dikke s uv. De kleine Muffin was de laatste druppel voor het huis aan de Calle Negro. En het punt is, ik zit in de branche, ik verdien er altijd aan als we verkopen, ik koop altijd voor een gunstige prijs een mooi huis in een gunstige buurt. Het huis waarin we nu wonen staat op tweeduizend vierkante meter, met een zwembad en een mooie beschaduwde patio. Maar het is moeilijk je er echt thuis te voelen.

Ik ga door de voordeur naar binnen en Walter komt naar me toe hollen *Pappa! Pappa!* en omarmt mijn been.

Even denk ik dat hij probeert de vermoorde onschuld te spelen, maar dat is het niet. Hij is gewoon ongecompliceerd blij om me te zien. Ik leg mijn hand op zijn hoofdje en ik hou van hem. Ik wou dat alles zo ongecompliceerd was. Mijn hart stroomt over.

'Ik heb het helemaal gehad,' zegt Carol-Ann. 'Ik heb het verdomme helemaal gehad.'

Ze zit in de gespikkelde schaduw van de pergola met een glas spuitwater in haar hand. Walter zit weer in zijn avondlijke tv-roes. Ik schenk mezelf een glas wijn in en ga tegenover haar zitten. Ik weet dat ik niet moet proberen haar aan te raken.

'Wie was het deze keer?'

'Dat leuke meisje van Wentworth,' zegt ze. 'Die kleine blonde. Ik denk dat ze een autootje pakte waarmee hij aan het spelen was.'

'Dat moet kunnen. Dat is niet haar schuld.'

'Nee,' zegt Carol-Ann en ze kijkt me aan alsof ik gek ben. 'Nee, natuurlijk niet. Het is gewoon een kwestie van leren spelen met anderen, dat horen ze daar toch te doen? Hij beet haar midden in haar arm.'

'Erg?'

'Ze moesten ermee naar de eerste hulp,' zegt Carol-Ann. 'Ik bedoel, het had niet gehoeven, het was niks ernstigs, maar hij had wel doorgebeten. Ik denk dat ze een beetje bloedde.'

'Jezus.'

'De ouders waren helemaal over de rooie. Ze zeiden dat ze het Hummeltjeshonk een proces zouden aandoen.'

'Je kunt niet over zoiets gaan procederen. Het zijn gewoon kinderen onder elkaar.'

'Ik weet het niet,' zegt Carol-Ann. 'De moeder is advocate. We horen het wel. Ze waren al naar het ziekenhuis tegen de tijd dat ik er was.'

'Nou, godzijdank.'

'O ja,' zegt Carol-Ann. 'Geluk bij een ongeluk.'

'Ik vraag me af...' begin ik te zeggen, maar Carol-Ann waarschuwt me. Ik volg haar blik en zie dat Walter achter me de patio op is gekomen. Als een slaapwandelaar kuiert hij mijn kant op, gebiologeerd door de grond voor zijn voeten. Hij is bijna een maand te vroeg geboren, maar ik geloof niet dat dat er iets mee te maken heeft. Een maand is niets tegenwoordig. Toen hij op de couveuseafdeling lag, was daar een baby ter grootte van een eekhoorn, echt zo klein. Walter klautert slaperig op mijn schoot en legt zijn hoofd tegen mijn hals. In de windstille avond brengt de warmte van zijn lichaam tegen het mijne en zijn warme adem in mijn hals, me aan het transpireren. Het is bijna te veel, die intense, vochtige liefde van hem.

'Ik deed het niet expres,' zegt Walter.

'Ik weet het.'

'Het ging per ongeluk.'

'Ik weet het,' zeg ik weer; al kun je iemand niet per ongeluk bijten, dat weten we allebei.

Carol-Ann springt plotseling op uit haar stoel.

'Ik ga een stukje rennen,' zegt ze. 'Ik zit hier al de hele dag in de airco opgesloten!'

'Het is bijna donker.'

'Het is bijna koel genoeg,' zegt ze. 'Jullie tweetjes kunnen wel wat eten voor jezelf verzinnen, hè?'

'We wachten wel.'

'Nee, eten jullie maar,' zegt ze. 'Er ligt van alles in de vriezer, mochten jullie wanhopig worden. Jullie kunnen ook naar Sanchez gaan, een burrito halen.'

Ze gaat naar binnen om zich om te kleden, laat ons zwetend in de schemering achter. De woestijn komt in beweging, dat hele nachtleven van roofdieren. Walter heeft me niets te vertellen en ik kan niets bedenken om tegen hem te zeggen. Stoute jongen. Bijter. De laatste poes, die na Muffin, vonden we buiten in de droge rivierbedding achter het huis, zo stijf als een plank. De dierenarts zei dat ze door een ratelslang moest zijn gepakt. Walter was degene die haar had gevonden. Ik denk dat we voorlopig genoeg hebben van katten.

'Veel plezier met z'n tweeën!' zegt Carol-Ann, al een beetje bezweet in haar spandex outfit, met op haar onderrug haar paarse waterflesje. 'Mannenavond,' zegt ze, en ze begint meteen in de achtertuin te rennen, de hoek van het huis om en weg. Ik kijk naar haar vertrekkende kont. Prachtige kont, prachtige meid, die houdt zich wel lekker in vorm.

'Mam!' zegt Walter, die pas nu ontdekt dat ze weg is gegaan, denk ik. Hij springt van mijn schoot. Het is een smartelijke kreet, en ik verwacht dat ze terugkomt om hem te troosten voor ze vertrekt, maar Carol-Ann is al weg.

'Rustig maar, maatje,' zeg ik tegen hem. 'Ze komt zo weer terug.'

Hij ziet er een ogenblik verslagen uit, staart naar de plek waar ze verdween alsof ze zich alleen maar om de hoek van het huis heeft verstopt, maar ze is weg, weg, weg. Dan gaan we naar binnen, sluiten het huis af tegen de avondhitte en zetten de airco aan, koel en stil als een operatiekamer. Walter vegeteert voor de publieke zender totdat *Zakennieuws* begint en ik overschakel naar Atlanta: de Braves tegen de Marlins. Ik ben zelf in Alpharetta opgegroeid. Het is iets van ons samen, van Walter en mij, om naar de Braves te kijken. Ik trek een blikje bier open en geef hem een Juicy Juice. Ik weet niet wat Walter eruit haalt, maar hij schijnt het leuk te vinden, kruipt tegen me aan op de bank en laat de wedstrijd gewoon aan zich voorbij trekken. Smoltz werpt vanavond, het is alsof hij er altijd is geweest. Chipper Jones herinner ik me nog als *rookie*, net in opkomst. De Marlins komen al vroeg op twee punten voorsprong. Walter en ik wachten op het antwoord van de Braves. Tijdens de reclame tussen de innings haal ik chips met saus voor ons samen en nog een biertje voor mij. Walter vraagt of hij een Coke mag, maar ik zeg: dat moet je aan mamma vragen, die zal nu wel gauw thuis zijn. Ik wacht met het eten.

In de pauze van de zevende inning maak ik hotdogs voor ons klaar. We eten ze voor de buis.

Die zuidelijke meisjes. Ik zie ze in het stadion met hun vriendjes, grote bossen blond haar, strakke benen in shorts en Atlanta Braves-shirts. Ze zoenen hun vriendjes, juichen bij drie slag. Smoltz komt pas laat in de wedstrijd goed op stoom. Die meisjes zijn bescheiden. Soms denk ik dat dat mijn halve lol is om naar die wedstrijden te kijken, alleen al om te zien hoe het publiek zich ge-draagt, de kleine verschillen die me zo vertrouwd zijn. Die meisjes gaan niet als eerste een restaurant binnen, kiezen niet de tafel. Ze vallen je niet in de rede. Het is ge-woon een ander spelletje, meer niet, maar ik mis het.

Om negen uur is de wedstrijd afgelopen, de Braves hebben hun achterstand ingelopen en Carol-Ann is nog niet thuis. Ik zet Walter in bad, neem nog een biertje ter-wijl hij met zijn eendjes en bootjes knoeit. Het mooiste moment is voor hem wanneer ik terugkom, hem afdroog en dan strak inpak in een grote badhanddoek, stijf als een mummie, en hem door de gang naar zijn slaapkamer draag. Hij lijkt kleiner, brozer wanneer hij zo is ingeba-kerd. Ik hijs hem in zijn pyjamaatje, daarna lezen we een *Nieuwsgierig Aapje*-boek en dan doe ik het licht uit.

Carol-Ann komt pas een uur later thuis.

'Wat is er gebeurd?' vraag ik.

'Gebeurd? Niks,' zegt ze. 'Ik kwam op de terugweg langs het huis van Katherine en dacht: ik ga even gedag zeggen.'

'Drie uur geleden.'

'Ja,' zegt ze. 'Drie uur. Ik ga douchen.'

Ik zeg niets. Wat valt er te zeggen? Ik wacht tot ik het water hoor lopen, maak het laatste biertje van de avond open en ga op het terras bij het zwembad zitten. De maan staat aan de hemel en glinstert op het water. Ik voel ach-ter het patiokacheltje en vind het pakje sigaretten veilig verstopt in zijn plastic zak, neem er een uit, steek die aan en kijk naar de duizend sterren die boven me voorbij wentelen. Ginds in Tucson, dat als een rivier van licht voor me ligt uitgespreid, zoemen en draaien politiehelikopters achter hun zoeklichten aan. Walter, Walter, vraag ik me af: wat moeten we toch met je? Op de bank, toen we honkbal keken, zat ik met mijn arm om hem heen, en volkomen gedachteloos pakte hij mijn vrije hand, bracht die naar zijn mond en zette zijn tanden op de knokkel van mijn wijsvinger. Hij beet niet door, maar ik voelde ze. Ik liet mijn vinger in zijn mond. Hij is uiteindelijk mijn zoon.

Carol-Ann is al naar bed als ik het huis weer in ga. Ik poets mijn tanden, doe de lichten uit en schuif naast haar in bed. De lucht in onze slaapkamer is koel als een graftombe. Ik strijk met mijn hand over haar zij, die gehuld is in katoenen tricot.

'Het wordt wel beter,' fluister ik.

'Ik weet het niet,' zegt ze zonder zich om te draaien. En een ogenblik later zegt ze: 'Het wordt anders.'

En na een paar minuten, als ik denk dat ze al slaapt en ik wakker naast haar aan geld lig te denken, zegt ze: 'Ik voel het aankomen.'

De Drakes zijn een godsgeschenk. Dit echtpaar uit Ohio heeft net een dubbele aanstelling aan de universiteit gekregen, twee dikke salarissen, en ze zijn geestdriftig als bekeerlingen over de stad. Ze hebben het Woestijnmuseum bezocht, door de oude straten van de barrio gelopen en een paar lichtwedstrijden van de Tucson Sidewinders uitgezeten, 38 graden bij aanvang, maar koud zodra de zon ondergaat.

Ze zullen beslist een huis kopen, en een mooi huis ook. Ze werden me in de schoot geworpen toen Sally Drake kwam kijken bij een yogales die Carol-Ann volgde en na afloop met haar aan de praat raakte over de verschillende buurten: Sam Hughes is leuk, weinig last van verkeer, je kunt naar je werk lopen, maar voor winkelen zit je veel beter in de Foothills... De volgende dag zaten ze bij me op kantoor, vriendelijk als golden retrievers. Zes weken later komen ze nog steeds. Ze hebben in elke buurt van Tucson een echt mooi huis gezien, een tweehonderdvijftig jaar oude adobe in het centrum, een heel stel kleine herenhuizen in de Catalina Foothills, en zelfs een echt uniek object, een filmsterrenpaleisje uit de jaren twintig in El Encanto, met een zwembad betegeld met handbeschilderde keramiek. Ze hebben ze allemaal opgetogen en uitgebreid bewonderd. Ze konden ze allemaal betalen. Ze hebben geen van alle gekocht.

Ik weet wat het probleem is, maar ik kan het niet voor ze oplossen. Ze wachten allebei tot de ander beslist. Ze willen allebei dat de ander de schuld heeft als er iets tegenvalt, wat natuurlijk gebeurt, hoe klein ook. Niets is volmaakt. Aan elk huis mankeert wel iets, net als aan elk leven en elk huwelijk. Het is gewoon een kwestie van afwegen. Maar Tom wil dat Sally het huis kiest, er verliefd op wordt, uiteindelijk zegt dat dit het is. Als het zwembad begint te lekken, heeft hij iemand om de schuld te geven, als hun poezen uit Ohio het slachtoffer worden van de slangen in Arizona, als die onbereikbare gloeilamp op zeven meter hoogte in het kathedraalplafond het eindelijk begeeft... En natuurlijk wil Sally dat Tom de keuze maakt. In het begin dacht ik dat ze een verschrikkelijk seksleven moesten hebben, dat ze in het donker lagen te wachten tot de ander het initiatief nam. Kortgeleden ben ik er anders over gaan denken. Kortgeleden merkte ik een vleugje hartstocht bij Sally; ze is een beetje gedrongen, maar leuk gedrongen, mooi en rond, houdt van eten, houdt van muziek. Ik stel me voor dat ze achter gesloten deuren vaak ruzie hebben, en het dan weer goedmaken. Verzoeningsseks is altijd de beste.

Vandaag bezichtigen we een huis dat ze niet zullen kopen. Dat weet ik voor we eraan beginnen en ik denk dat zij het ook weten. Ik wil ze laten zien dat het mij ter harte gaat, dat ik hard voor hen werk. Ik weet niet precies wat er voor Tom en Sally in zit. Het huis is werkelijk mooi, drie vleugels gebouwd rond een binnenplaats, en het oogt echt fraai. Het is door een muur, een sobere witte streep pleisterwerk, van de straat gescheiden, dan kom je het huis binnen waar meteen schaduw en koelte is en je vanuit elk raam de binnenplaats met zijn fontein en groen ziet. Overal het geluid van klaterend water als in een oase. We drentelen langzaam van kamer naar kamer, laten het allemaal op ons inwerken, en eindigen in de lange, lage woonkamer die qua lijn iets van een schip heeft, met de ovale mond van een adobehaard in de hoek.

'Nou,' vraag ik hun, 'wat vinden jullie?'

Ze kijken van de een naar de ander en dan naar mij, alsof dit een examenvraag is.

'Hoe lang is het al op de markt?' vraagt Sally.

'Een paar weken,' zeg ik. 'Het verbaast me een beetje dat het nog niet weg is.'

'Het is niet duur,' zegt Tom, quasi nadenkend. 'Maar het is het mooiste huis van dit blok. Het mooiste huis van een paar blokken.'

Het gaat niet om geld, wil ik hun zeggen. Het gaat om liefde. Koop willekeurig welk huis, blijf er een paar jaar wonen en het levert geld op. Je hebt een plek nodig die je gelukkig maakt, een plek om thuis te zijn. Maar iedereen wil een goede koop doen, iedereen wil graag de indruk wekken slim en verstandig met geld te zijn. Tom en Sally zijn geen uitzondering.

'Ik vind die binnenplaats geweldig,' zegt Sally. 'Maar de buurt.'

'Niet echt op loopafstand van de universiteit,' zegt Tom.

'De Rinconmarkt is praktisch om de hoek,' vertel ik. 'Een leuk zondagochtendwandelingetje. En de scholen zijn prima.'

'Niet dat dat voor ons belangrijk is,' zegt Tom. Tijdens onze eerste afspraak, weken geleden, had hij laten weten dat ze 'kindvrij' waren en absoluut van plan waren dat zo te houden.

'Nee,' zeg ik, 'maar voor de doorverkoopwaarde maakt het wel verschil. Ik denk dat deze wijk een hoop opkomstpotentieel heeft.'

Ik weet niet waarom ik zo praat: *opkomstpotentieel*. Het betekent niet eens iets. Maar het geeft klanten een beter gevoel, dat van slimme ingewijden. Ik kijk hoe Sally de keuken in loopt, aan het graniet, het staal, het glas voelt. Het licht van het raam achter haar maakt haar zomerblouse doorzichtig, en ik kijk naar haar lichaam als ze zich omdraait: slanker dan ik dacht, nog wel stevig. 'De indeling van deze keuken is ideaal,' zegt ze. 'Heel praktisch.'

'Tja, en dit is iets kleiner dan sommige andere huizen die we hebben gezien,' zegt Tom. 'Dat is misschien een voordeel – minder te koelen, minder te verwarmen. Ervan uitgaande dat het voor ons geschikt is.'

'O, ik denk dat het best geschikt is,' zegt Sally. 'Je maakt de werkkamers daar in de andere vleugel en je hoort niets.'

'Dit huis bevalt je wel,' zegt Tom.

'Ik moet er nog een nachtje over slapen,' zegt Sally.

'Ik heb wat twijfels over de buurt,' zegt Tom.

Vanavond staat Tim Hudson op de heuvel. De eerste drie innings lijkt hij de zaak volledig in de hand te hebben, stuurt zijn *fastballs* naar de microscopische randjes van de plaat en pakt de ene na de andere slagman in. Zijn grote troeven zijn de *split-finger* en een geniepige curve. De Mets beginnen te protesteren als drie slag wordt gegeven, gedragen zich als een stelletje nukkige kinderen.

Walter nestelt zich naast me op de bank, zuigt bedachtzaam aan het rietje in zijn pakje vruchtensap. Carol-Ann is beneden tegen de klok aan het werken. Ze is freelance grafisch ontwerpster, maakt de lay-out voor een paar nichetijdschriften, vanavond is het geloof ik de *Jachthond*. Of misschien *Eigentijdse dranken*. Hoe dan ook, ze zit vlak voor een deadline, ze heeft Walter de hele dag gehad tot ik thuiskwam en ik vermoed dat hij niet wilde slapen. Ik hoor haar door de vloer heen, ze heeft een mooie studio met mooie grote ramen en een fitness-ruimte er pal naast. Ze laat de tv aanstaan als ze werkt en soms neemt ze een kwartiertje pauze op de elliptical trainer of houdt ze een sessie met losse gewichten. Ze zegt dat het haar hoofd helder maakt. Ik hoor het ritme door de vloer heen.

Aan het begin van de vierde inning gaat de telefoon. Ik sta op om op te nemen, maar Walter klemt zich aan me vast, ik moet mijn arm uit zijn warme, kleverige greep bevrijden. Ik mis het telefoontje bijna.

'Spreek ik met de vader van Walter?' zegt een prettige stem aan de andere kant.

'Jazeker.'

'Met Ted Wentworth,' zegt hij en er schiet een fysieke angst door me heen. Ik wil dit niet. Hij zegt: 'Ik begrijp dat u gehoord hebt over het incident van gisteren.'

'Inderdaad. Ik moet u zeggen dat het me buitenge-woon spijt.'

'Nee, nee, niet nodig,' zeg Ted Wentworth. 'Ik wilde alleen een paar dingen helder hebben, weet u. Wat informatie. Allereerst, hebt u wel of niet aan Hummeltjes-honk verteld dat uw zoon al eerder dit soort, eh, gedrag heeft vertoond?'

Ik sta met open mond en weet niets te zeggen. Walter staart me onzeker aan. Natuurlijk hebben we het niet verteld. Hij was daar nooit binnengekomen als ze het hadden geweten. De wereld haat bijters.

'Dat zou ik mijn vrouw moeten vragen,' zeg ik ten slotte. 'Zij heeft het meeste geregeld van, eh, toen we hier kwamen wonen...'

'U hebt dat niet met haar besproken?'

'Niet dat ik me kan herinneren.'

'U herinnert het zich niet? Dat lijkt me een belangrijk punt. Misschien kunt u het haar vragen.'

'Zodra ze terugkomt,' zeg ik.

'Wanneer is dat?'

'Pas over een paar dagen,' zeg ik. 'Het gaat niet zo goed met haar moeder. Carol-Ann moest erheen om te helpen.'

'Ik hoop dat het niets ernstigs is,' zegt Ted Wentworth. 'Wens haar het beste van me, als u haar spreekt. En u vraagt het haar, hè, wanneer u haar spreekt? Het is nogal een belangrijk punt. De mensen van Hummeltjeshonk zeiden dat ze er geen idee van hadden. Volgens hen hebt u nooit iets gezegd. Maar misschien kan uw vrouw daar wat licht op werpen.'

'Wanneer ze terugkomt,' zeg ik.

'Wanneer ze terugkomt,' zegt hij. Hij gelooft me niet. 'Of wanneer u haar spreekt. Ik bel over een dag of twee terug.'

'Gaat het u om...' zeg ik. 'Ik bedoel, ik betaal graag het ziekenhuis of wat dan ook.'

'Dat is op dit moment niet het traject dat we volgen,' zegt Ted Wentworth. 'Ik zal het u laten weten als daar verandering in komt en hoop spoedig iets van u te horen. Ik wens u een prettige avond.'

Ik schuif de telefoon voorzichtig terug in de oplader, alsof hij kan ontploffen of erger. Walter kijkt naar me op. Hij is zo gevoelig als een kaarsvlam voor stemmingswisselingen, hij pikt een gevoel vanaf de andere kant van de kamer op zonder erover te hoeven praten. Op dit moment maakt hij zich zorgen over mij. Hij ziet hoe ik naar hem kijk, als een vreemde. Waar komt díé vandaan? Wat is er mis met hem? Maar nee, eigenlijk niets. Hij is mijn lieve, warme, bezorgde jongen.

Hij ziet me ineenkrimpen als de telefoon weer gaat. Ik twijfel of ik de moed heb om op te nemen.

Maar het is Wentworth niet, het is het bekende mobiele nummer met het kengetal van Ohio, en ik neem opgewekt op.

'Hallo, Sally!' zeg ik. 'En?'

'Dat huis?' zegt ze. 'Dat we vandaag hebben bezichtigd? Ik zou het graag nog eens zien, denk ik. Het intrigeert me nogal, die binnenplaats en die fontein en zo. En ik denk dat Tom er ook steeds meer voor voelt.'

'Fantastisch!' zeg ik, al geloof ik haar geen seconde. Dit is een zo faliekant verkeerd huis voor hen. Het is een echte gezinswoning, ontworpen met de ouderslaapkamer aan de ene kant en de kinderkamers aan het verre andere uiteinde; een huis ontworpen voor rust, voor uitslapen, zelfs voor huwelijksseks terwijl de kinderen slapen. Maar dat zeg ik haar niet. 'Ik bel morgenochtend de makelaarscentrale,' zeg ik. 'Welke tijd schikt je?'

'Elf uur?'

'Doen we,' zeg ik. 'Tot dan.'

Maar als ik de volgende morgen de makelaarscentrale bel, laten ze weten dat er al een bod op het huis ligt, er is een voorlopig koopcontract met de financiering als ontbindende voorwaarde en het ziet ernaar uit dat die financiering rondkomt. *Je weet maar nooit*, zeg ik tegen Sally, maar haar vertrouwen in me heeft een deuk opgelopen. Ze is beleefd maar kortaf wanneer ik bel om het haar te vertellen. Ik begrijp te laat dat ze dit juist nodig hadden om een beslissing te nemen: hun begeerte kon alleen gewekt worden als een ander het nog meer begeerde. Ze zouden het misschien willen hebben, maar eerst moest een ander het willen hebben.

Ik hoor een aantal dagen lang niets van ze en de makelaarscentrale heeft geen spoedeisende nieuwe objecten. Maar ik heb wel andere dingen aan mijn hoofd. Er zit geen schot in het huis in Sam Hughes, en daar zit al mijn geld in. Ik heb mijn oog laten vallen op een verhuurd huis in het studentengetto ten noorden van de universiteit, een mooi oud huis, opgesplitst in een serie konijnenhokken voor individuele bewoning. Het ziet er niet uit, maar de opbrengst is fantastisch. Als ik van het huis in Sam Hughes kan afkomen, zou ik alleen al uit dat ene pand 1500 dollar per maand kunnen halen.

Dus ik ben gemotiveerd. Ik laat de prijs met 10.000 dollar zakken en organiseer een open huis op zondag. Op het laatste moment komt Carol-Ann tot de conclusie dat ze te ver achter is met haar werk nadat ze de hele week thuis op Walter heeft gepast. Ze vindt dat ik Walter moet meenemen naar de kijkdag. Wat is dit? We maken geen ruzie waar Walter bij is, maar ze weet dat ik mijn handen vrij moet hebben. Huizen verkopen is een gevoelige zaak. Het laatste wat een gegadigde wil zien is een vierjarig joch in een lege kamer. Met hem erbij is die middag volstrekt verspilde tijd en dat weet Carol-Ann, of hoort ze te weten. Maar ze zegt: *Het is ook jouw kind.* Ze zegt: *Ik ben niet de enige.* We hebben nog niet eens besproken waar we hem nu zouden kunnen plaatsen. Dus met een deken, een stoeltje, een paar boeken en snacks, en het allerbelangrijkste, de draagbare dvd-speler met de beste Disney-dvd's, installeer ik hem in de achterslaapkamer – toch al een kinderslaapkamer, dus daar valt hij niet uit de toon. Walter kijkt bezorgd in dit vreemde huis. Hij wil niet dat ik de kamer uit ga. Maar ik moet zaken doen.

Het loopt matig, er druppelen wat knibbelaars binnen. Het is de eerste dag sinds weken of misschien wel maanden dat het onder de 38 graden is, de eerste aanwijzing dat het misschien ooit nog herfst wordt. In de verte pakken zich wolken samen voor een middag onweer en iedereen is rusteloos, prikkelbaar, ietwat gespannen. Je voelt het aankomen, een soort omslag. Als ik even naar Walter ga kijken, tref ik hem voor het raam aan, waar hij staat te staren naar de grindtuin, naar de reusachtige vijgencactus die in het midden ervan oprijst.

Om vier uur sta ik op het punt de boel voor gezien te houden, als Sally Drake de deur binnenloopt. Ze ziet me eerst niet, weet niet dat dit mijn kijkdag is. En ze hoort zonder mij geen andere huizen te bezichtigen. Geen reden om het contact op te zeggen, maar het is tegen de regels. Ik ben nog met een andere geïnteresseerde over water- en energiekosten in gesprek, dus ik laat haar in haar eentje rondkijken. Als ze het hele huis is door geweest, komt ze terug naar de keuken, waar ik alleen ben, en ze is verrast mij daar aan te treffen.

'Sally,' zeg ik.

Ze kijkt betrapt, maar niet schuldbewust. Ze zegt: 'Ik had me niet gerealiseerd dat dit jouw eigen pand was. Het verbaast me dat je het ons niet hebt laten zien.'

'Het leek me niet geschikt voor jullie.'

'Nou, dat had je dan goed gezien!' zegt ze lachend. 'Is dat je zoon daar achter?'

'Walter.'

'Misschien moet je even naar hem gaan kijken,' zegt Sally. 'Misschien huilt hij. Hij keek in ieder geval nogal sip.'

Ze kijkt me aan, om te zien of ik opspring, mijn werk in de steek laat, hem te hulp snel. Ik weet niet wat ze van me verwacht. Walter wekt vaak die indruk, vooral bij vreemden. Voor mij is het zijn gewone gezicht, zijn gewone uitdrukking. Maar anderen zien het anders.

'Het is een mooi jongetje,' zegt Sally Drake. Ze krijgt iets zachts. Het is steeds Tom en nooit Sally, die de uitdrukking *kindvrij* gebruikt. Het is een knappe vrouw van midden dertig, het is nog niet te laat voor haar.

'Ik kan beter even gaan kijken,' zeg ik. 'Maar het zal wel loslopen met hem.'

'Ik ga,' zegt Sally, ongewoon resoluut.

'Waar is Tom?'

'O, die is naar de introductie, deze hele week. Maar hij zei dat hij er altijd tussenuit kon als zich iets nieuws voordeed. Hij vroeg of ik je dat wilde zeggen, als ik je sprak.'

'Oké,' zeg ik. 'Goed.'

Maar als ik haar zie weglopen, heb ik het gevoel dat er

iets samen met haar weggaat, ik kan niet zeggen wat, maar iets wordt er minder. Het huis is nu leeg, leeg op mij en Walter na. Ik ga naar de voortuin en haal het OPEN HUIS-bord weg, breng het naar binnen en sluit de deur af. Daarna ga ik naar hem kijken en hij staat weer uit dat achterraam te turen. Walter is Walter, en daarmee bedoel ik dat hij in orde is, dat het goed met hem gaat. Maar er zit een fundamentele droefheid in hem. Het zit heel diep, denk ik, onbereikbaar diep. Misschien is dat het, denk ik, als ik me buk om hem op te tillen. Misschien is het gewoon een grenzeloze behoefte aan troost, een behoefte die alleen een moment lang verzadigd kan worden. In mijn armen is hij gedwee en op zijn gemak, een diepe, langzame ademhaler. In mijn armen en in die van zijn moeder en misschien nergens anders.

Het is een raadsel, die zoon van me.

Thuis wacht Carol-Ann op ons. Ze zegt: 'Ik had vanmiddag Ted Wentworth aan de telefoon.'

Walter slaapt. Hij ging onder zeil in het kinderzitje op weg naar huis. Ik loop zachtjes met zijn slapende gewicht in mijn armen door de woonkamer en de gang naar zijn kamer, waar ik hem zo voorzichtig als ik kan in zijn raceautobed leg. Als ik weer in de kamer terugkom, zie ik dat Carol-Ann buiten op de patio op me wacht. Haal me hier weg, denk ik. Breng me naar huis.

'Het is zo stom,' zegt Carol-Ann. 'Je hebt me als een idioot te kijk gezet. Mijn moeder.'

'Nee,' zeg ik. 'Het was niet het beste idee.'

'Hoe kon je zoiets bedenken?'

'Ach,' zeg ik. Ik hou in om mezelf te vermannen; en

in dat vluchtige moment besef ik dat ik zelf kwaad ben, zij is niet de enige, ik ga niet op mijn knieën liggen. 'Ik realiseerde me,' zeg ik, 'dat we de crèche nooit over Walters probleem hebben verteld. Ik dacht dat we volledig in de tang zaten. We krijgen een proces aan onze broek, schat.'

'Dus dan hang je maar zo'n idioot verhaal op.'

'Ik was niet op m'n best. Hij overviel me gewoon.'

'Ik wil dit niet,' zegt ze.

'Wat niet?'

'Die hele toestand,' zegt Carol-Ann. 'Ik ga even hardlopen.'

'Je krijgt een bui op je kop.'

'Kan me niet schelen,' zegt ze en ze gaat naar binnen om zich om te kleden. Even later hoor ik de voordeur dichtslaan, het degelijke, zware geluid waar ik altijd van heb gehouden. Ze is weg. De wolken pakken zich samen tot iets zwaars, iets groots. Ik besluit Walter voorlopig te laten slapen. Ik ga naar boven, naar onze slaapkamer, waar haar kleren op ons onopgemaakte bed zijn gesmeten. Ik trek mijn zwembroek aan en bekijk mezelf in de spiegel. Ik zie er niet slecht uit voor mijn zevenendertig jaar, denk ik, iets dikker rond mijn middel dan toen ik zeventien was, maar nog steeds toonbaar. Ik ga weer naar buiten, de namiddaghitte en de werveling van zon en wolken in en in één beweging steek ik de patio over en duik het zwembad in, waar ik zo lang mogelijk onder water blijf, genietend van de plotselinge, omhullende koelte. Ik kom boven om adem te happen en duik weer onder, steeds weer.

Soms heb ik het idee dat woede de motor van een huwe-lijk is, de kracht die alle andere delen voortstuwt. Beiden doen we de helft en hebben we het gevoel dat het drie-kwart is. Beiden hebben we het net zo moeilijk als de an-der, maar we verdenken de ander ervan dat die het ge-makkelijk heeft. We zorgen allebei, maar verdenken de ander van zorgeloosheid. Ik hoor haar in het souterrain, het ritmisch gepiep van de elliptical trainer... Ik moet eens naar beneden om dat ding te smeren.

De makelaarscentrale belt maandagavond na het eten om te zeggen dat de financiering van het huis met de bin-nenplaats niet helemaal zeker lijkt en dat het nu mis-schien een goed moment is om een vervangend bod te doen. Is dat goed nieuws? Het zou kunnen, nu de Drakes hun liefde, althans belangstelling, voor het huis hebben uitgesproken. Maar er is iets gebeurd tussen mij en de Drakes, het vertrouwen is een beetje aangetast en ze zul-len zich afvragen of dit niet een truc is om hen tot een be-slissing te dwingen.

Ik krijg Tom aan de telefoon. 'Goed nieuws,' zeg ik en laat hem weten dat het beschikbaar is. Ik leg uit wat een vervangend bod inhoudt, hoe het werkt en waarom het misschien geen gek idee is, mochten ze belangstelling hebben, om iets op papier te hebben voordat de huidige gegadigde zijn financiering rondkrijgt.

'Ik heb nog steeds wat twijfels over die buurt,' zegt hij. Hij klinkt allesbehalve opgetogen over het nieuws. Hij zegt: 'Weet je wat, ik praat er even met Sally over, dan bel ik zo terug, oké?'

'Haast je niet,' zeg ik – en ik meen het, geen haast, die

gast koopt nooit dit huis of enig ander huis van me, hij houdt me gewoon aan het lijntje tot ik erbij neerval of tot ze weer naar dat klote Ohio teruggaan. Ik ben in de verleiding het tegen hem te zeggen. Maar ik wens hem een prettige avond.

Walter en ik kijken vanavond naar de Dodgers. De Braves zijn niet op het nationale net en dit is de enige wedstrijd die wordt uitgezonden. Carol-Ann is aan het 'werk'. Al snel belt Sally Drake terug om te zeggen dat Tom vastzit aan zijn introductieprogramma, maar dat zij morgenochtend naar het huis kan komen. Dat betekent natuurlijk nee. Als ze het wilden kopen, zouden ze zorgen dat ze er allebei waren. Maar ik maak toch een afspraak voor elf uur de volgende dag, want anders zou ik een ongemakkelijke waarheid erkennen. Zolang we niets zeggen, is er niets aan de hand.

's Morgens zegt Carol-Ann dat ze niet op Walter kan passen.

Geeft niet, zeg ik, en in zekere zin is dat zo. Deze ochtend verkoop ik toch geen huis. Ik pak al Walters spullen bij elkaar, zijn speelgoed en boeken, wat schone kleren, een snack, pakjes sap, de dvd-speler met een paar schijfjes, ik zet het kinderzitje uit Carol-Anns auto over in die van mij en bedenk dat Hannibal minder rotzooi bij zich had toen hij Europa binnentrok en verder denk ik dat ze toch eens een keer zal moeten praten. Nooit hebben we erover gesproken. Geen van beiden hebben we een idee hoe het verder moet, met Walter, met ons drukke werkende leven. Ik heb het gevoel dat we niet op één lijn zitten.

'Waar was je gisteravond mee bezig?' vraag ik als eindelijk alles is ingepakt. 'Ik dacht dat je moest werken.'

'Ik héb gewerkt,' zegt ze. 'Het is niet even met je vingers knippen en hup er is een tijdschrift. Het is een hoop werk. Dat weet je.'

'Oké, oké, oké.'

'Jij geeft altijd zo op me af.'

'Oké,' zeg ik en ik hou erover op. Kennelijk is er geen stukje van ons leven dat geen woede is, niet op dit moment.

Ik verontschuldig me.

Ik ben er vroeg, installeer Walter in de woonkamer met zijn deken en Juicy Juice en Ninja Turtles. Hij is gek op die zeikerige Ninja Turtles. Ik moet erbij zeggen dat de verkopers hun huis hebben volgezet met gehuurde meubels om het bewoond te laten lijken, wat in dit geval verkeerd uitpakt. Het huis heeft overal donker hout, roomkleurig stucwerk en smeedijzeren planksteunen en het meubilair is volledig Miami Beach. Maar het wordt toch niet verkocht en van mij mag Walter de bekleding bekliederen met kiwi-aardbeiensap. Het kan niet erger dan het al is. Ik laat hem daar zitten met zijn hersentjes vacuüm getrokken door de dvd-speler en ga naar buiten om de fontein aan te zetten. De binnenplaats vult zich met het geluid van water.

Sally verschijnt vijf minuten te vroeg, en hoe kijkt ze? Ze kijkt weer *betrapt*, net als met de open-huisdag, die verstrooide, vage glimlach. Ze geeft me een hand en woelt dan door Walters haar, wekt hem heel even verrast uit de videodroom voor hij er weer in terugzakt. Ik zou me moeten schamen en dat doe ik ook, om hem te laten zitten. Maar er is werk aan de winkel.

We laten Walter in de woonkamer achter en doen weer de ronde door het huis, de kinderslaapkamers – die ik zorgvuldig de werkkamers noem – en terug langs die ene wat mindere badkamer (een lekkende douchecel heeft golvend zeil veroorzaakt) en door de grote ruimtes van het huis. We schuifelen traag als slaapwandelaars rond en Walter merkt ons niet op als we langskomen of negeert ons gewoon met opzet. De keuken is geweldig met de overdekte patio erachter. Sally schiet heen en weer tussen ontwijkend en puur neutraal. Maar haar enthousiasme is weg en dat weten we allebei. Aan het eind van de rondleiding staan we in de ouderslaapkamer, overal donker hout en gedempt licht door de zware, gedeeltelijk gesloten gordijnen. We zijn door het huis heen, door alles heen wat we te zeggen hebben of waarmee we onszelf kunnen afleiden.

'Het is helemaal fout, hè?' vraag ik.

'Ik weet niet,' zegt ze. 'Het voelde de vorige keer gewoon anders.'

Toen jullie het niet konden krijgen, denk ik. Maar ik zeg het niet.

'Er is iets fout met ons,' zegt ze. Ze trekt het zware, bloedrode gordijn opzij en kijkt op de binnenplaats, waar het verblindende licht van de late ochtendzon alle kleuren verbleekt, elke kleur met zijn witte hitte overspoelt. Zelfs het sijpelende water klinkt warm.

'Het is een tijd met veel stress,' zeg ik. 'Zo'n overgang is moeilijk.'

'Driemaal verhuizen is even erg als een sterfgeval,' zegt ze. 'Heb ik ergens gelezen.'

'Ik heb het eerder gehoord.'

'Dat is het niet,' zegt ze. Ze wendt zich van het raam af, laat het gordijn weer half dicht vallen en het licht trekt zich snel uit de kamer terug.

'Ik vind het hier vreselijk,' zegt ze. Daar heb je het weer, de woede, dat ding tussen mannen en vrouwen. Ze trilt van woede. Ze zegt: 'Ik wilde helemaal niet weg uit Ohio. Waar we woonden was het mooi, tegen de grens van Kentucky aan, hè? Iedereen die aan Ohio denkt, denkt meteen aan Akron en Cleveland, hè? Maar waar wij woonden, was het helemaal niet zo.

'De zomer is nu gauw voorbij,' zeg ik. 'Nog een paar weken en we hebben de hitte gehad. Het ergste is al achter de rug.'

'Het is alsof je op de maan woont,' zegt ze. 'De eerste week dat we hier waren brandde ik mijn hand aan mijn eigen autostuur. Verbránd!'

'Wat naar.'

'Dat is maar het weer,' zegt ze. 'Het weer kan me niet eens zoveel schelen.'

Het is alsof ik haar plotseling zie, alsof ik haar nu in de ogen kan kijken en haar vanbinnen kan zien, in plaats van te stoppen bij de ondoorzichtige buitenkant. Net was ze nog deel van het meubilair, ding onder de dingen. Nu staat ze onzeker voor me, weet ze niet wat ze moet zeggen, waar ze haar lichaam moet laten, en ik kan haar vanbinnen zien, de bloedende kern.

Ik weet niet waarom, maar ik pak haar hand.

'Het komt goed,' zeg ik tegen haar.

'Tom heeft een verhouding gehad,' zegt ze.

'Wat naar,' zeg ik.

'Dat is niet het punt,' zegt Sally.

Ik ben me plotseling bewust van het gigantische bed dat als een grote obscene grap naast ons opdoemt.

Ze zegt: 'Het punt is dat we besloten hadden een nieuwe start te maken, bij elkaar te blijven. We wisten dat het niet zou gaan als we daar bleven. We deden ons best, en algauw werd er van alles duidelijk. Ik hou van hem, weet je dat?'

'Ik heb niet anders gedacht.'

'Het rotte is alleen dat je de hele tijd zo *positief* moet zijn,' zegt ze. 'Zo godvergeten opbouwend! Weet je, soms denk ik: ik vergeef het hem nooit, niet echt, ik bedoel, elke dag moet ik eraan denken. Ik zal het ook niet vergeten. Dus wat doe ik dan hier?'

Ik weet er niets op te zeggen.

De rust om ons heen, het gekabbel van water.

Sally kijkt omlaag naar onze ineengeslagen handen, kijkt me dan recht aan en ik zie daar een wereld, achter haar ogen, een even grote en ingewikkelde wereld als die van mij. En ik zie dat ze gekust wil worden, om welke reden dan ook, en ik voel mijn pik opspelen bij de gedachte aan haar, haar nabijheid. Ik trek haar met mijn vrije hand naar me toe en kus haar heel licht, zo zacht als ik kan, want deze vrouw moet met zachtheid behandeld worden. Dat verdient ze. Haar mond smaakt naar sigarettenrook en pepermunt.

En in deze omhelzing, deze verstrengeling bevinden

we ons als Walter de kamer binnenkomt. Zij ziet hem het eerst en glijdt uit mijn armen met zo'n sierlijke, rappe, vrouwelijke beweging, als een vrouw die een zwempak uitdoet. Ze staat te staren en ik draai me om en zie hem dan.

'Hé, maatje,' zeg ik.

Klein en bezorgd en van streek staat hij in de deuropening van de slaapkamer en kijkt van mijn gezicht naar dat van Sally en terug.

'Kom hier,' zeg ik en buk me om hem op te vangen, maar hij verroert zich niet. Dan laat de kleine bezorgde Walter langzaam, altijd langzaam, zijn dekentje vallen en loopt hij naar me toe, met trage onderwaterbewegingen en angst in zijn ogen en als hij langs Sally komt steekt ze haar hand uit, voor wat? Misschien om zijn haar te strelen, hem te troosten en voordat ik haar kan tegenhouden draait hij, in dromerige slow motion, zijn mooie koppie naar haar hand en bijt haar, bijt haar in het zachte volle vlees onder haar duim, bijt zo hard en scherp dat er bloed opwelt en als Sally begint te gillen denk ik, Walter, mijn liefste, Walter, mijn leven, Walter, mijn enige zoon, wat moeten we toch met je? Want de wereld haat bijters en mijn liefde kan je niet beschermen.

Schone slaapster

Andrew staat voor het raam naar de donkere straat te kijken, te wachten op zijn vrienden: Susan en Ray, Elizabeth en Mark. Ze zijn laat. De stellen zijn altijd laat. Hij heeft alles voor hen klaar staan: kaarsen aangestoken, wijn gedecanteerd, een spinaziesalade met de vinaigrette ernaast en de ingrediënten voor een zeevruchtenrisotto rond het nieuwe gasfornuis. Het is zijn enige kunstje, risotto, maar ze zeggen dat ze het lekker vinden. Ze eten het in ieder geval op. En op een avond als deze, donker met kans op sneeuwbuien, past het goed: warm en voedzaam, een zuidelijk briesje...

Dan heb je ze, met z'n allen in Elizabeths busje. Hij laat het gordijn terugvallen, zodat hij niet betrapt wordt op kijken, zet de Rubén González-cd op die hij voor hen had bewaard en wacht. Een verstild moment, zijn eigen kleine rust, in afwachting van de Cubaanse piano. Hij kan de stellen in de hal van het flatgebouw horen praten.

Dan zoenen, jassen en nu zijn ze allemaal bij elkaar. Een gevoel van opluchting.

'Het nieuwe huis,' zegt Susan. 'Andrew, wat fantastisch.'

'Ach,' zegt hij, een beetje opgelaten. 'Het is bijna af, bijna klaar, altijd bijna.'

'Nee, het is prachtig,' zegt Elizabeth. 'Even kijken.' Ze schiet langs hem naar de ene grote kamer en neemt alles in zich op: het vuur in de open haard, de boekenkast en de bank, de grote litho van de Yellowstone River bij zonsopgang op de enige vrije muur. Hij kan er opeens niet tegen om haar de kamer, het werk van maanden, te zien ontleden. Hij verzamelt de jassen, gaat ermee naar de slaapkamer en dan staat ze daar ook, nog geen minuut later, alle details in zich op te nemen: het grote donkerhouten bed, de telefoon, de klokradio .

'Je hebt het voor elkaar,' zegt Elizabeth. 'Je hebt er werkelijk iets moois van gemaakt. Het ziet er prachtig uit.'

Ze zegt het met volle overtuiging. Andrew vraagt zich af wat ze gezegd zou hebben als ze het niet mooi vond, vraagt zich dan meteen af of ze het echt mooi vindt. Maar ze slaat haar arm om hem heen en kust hem op zijn wang. Jawel, ze vindt het echt mooi.

'Je kunt zien dat hier iemand woont,' zegt ze. 'Geen student meer. Het werd tijd.'

'Dat werd het zeker,' zegt hij. 'Vind je deze kleur mooi?'

'Ik moet wel,' zegt ze. 'Ik heb hem zelf uitgekozen, niet?'

En ineens staat ook Susan bewonderend in de kamer.

'Goh,' zegt ze. 'Het is echt prachtig, Andrew. Heb je dat allemaal zelf gedaan?'

'Ik heb wat hulp gehad,' zegt Andrew.

Susan zegt: 'Hier ga je vrouwen verleiden, let maar op.'

'Ik heb niks gedaan,' zegt Elizabeth. 'Een beetje met de kleuren geholpen.'

'Ik weet het niet,' zegt Andrew. 'Houden vrouwen van mannen met meubilair?'

Beide vrouwen vallen stil, denken na.

'Volwassen vrouwen wel,' zegt Elizabeth. Ze heeft het over Jude, Andrews wat? – ex-vriendin klinkt te vaag en tegelijk te definitief. Jude, die nu op Cyprus zit met een ander, maar er is altijd het gevaar dat ze terugkomt. Solliciteert naar een pak slaag. Elizabeth mocht Jude al nooit, maar nu Jude terug en weg en weer terug en weg is geweest, vindt Elizabeth het Andrews probleem. Jude zal niet veranderen, dat is waar, denkt hij, terwijl hij naar de gezichten kijkt van de vrouwen die hij al jaren kent. Maar geen van jullie twee heeft me ooit meegenomen naar het naaktstrand.

'En als ik nou niet van volwassen vrouwen houd?' zei Andrew.

'Je houdt toch van ons?' zegt Elizabeth. 'Wij zijn niet alleen volwassen, we zijn oud, we zitten vol rimpels en zo.'

En dan gebeurt er iets, er gebeurt iets met Susan, een donker wolkje en Elizabeth kijkt verlegen. Ze heeft iets verkeerds gezegd, denkt Andrew. Maar wat?

In de woonkamer staat Ray een fles rode wijn open te worstelen, weliswaar een fles die hij zelf heeft meegenomen, maar toch. Andrew heeft het gevoel dat er inbreuk wordt gemaakt op zijn rechten als gastheer. Mijn huis, mijn kurkentrekker. Ze nemen het van hem over, hier op zijn eigen plek – een plek die hij gedeeltelijk heeft gemaakt om te bewijzen dat hij een van hen is, volwassen, zoals Elizabeth zei, ook al is hij geen stel. Ze kennen elkaar al sinds de universiteit, Ray en Andrew en Elizabeth. Mark kwam later, net als Susan en Jude, en ineens waren ze allemaal verdwenen in de geheimzinnige gesloten huizen van hun huwelijk, en was hij een buitenstaander.

'Heeft Susan het al verteld?' vraagt Mark aan Andrew.

'Wat?'

'Van het ongeluk,' zegt hij en iedereen draait zich om naar Susan en Susan bloost, wat helemaal niets voor haar is. Ze is verpleegster op de spoedeisende hulp, stoer, stevig, geestig.

'Een meisje dat uit het niets opdook,' zegt ze. 'Ik reed gewoon de Tenley Circle op Wisconsin Avenue over en dat kind, misschien was ze stoned of zo, dat zegt dat ze helemaal geen stoplicht had gezien en ik geloof haar. Ze reed met vijftig kilometer per uur door rood en klapte vol op mijn portier.'

'Jezus,' zegt Andrew. 'Ben je...'

'Nee, dat niet,' zegt Susan. 'Godzijdank was ik met de Volvo, hè? Al was hij nog zo oud.'

'Wat zei ze eigenlijk?' vraagt hij haar. 'Het meisje dat je aanreed. Heb je nog met haar kunnen praten?'

'O, het was niet best,' zegt Susan. 'Ik denk dat ze haar neus had gebroken, ik bedoel, haar gezicht zat onder het bloed en ik had niks. Of nou ja, ik dacht dat ik niks had, het gekke is dat je niet echt weet of je je alles herinnert of niet. Maar dat kind zat onder het bloed en liep maar achter me aan, en maar: sorry, sorry.'

'Sorry waarvoor?' zegt Ray. 'Sorry dat ik je bijna dood-gereden heb? Ik bedoel, kom nou, zeg: rot op.'

'Inderdaad,' zegt Susan. 'Rot op.'

Een stilte, waarin Ray vijf wijnglazen op een rij zet en de fles plechtig leegschenkt, de wijn tussen hen verdeelt. Ceremonie, denkt Andrew. Hij voelt het feestje hem uit handen glippen, iets anders worden. Misschien moest het zo lopen.

'Nou,' zegt Elizabeth, terwijl ze allemaal klinken. 'Op het leven.'

'Nee,' zegt Mark. 'Niet op het leven in het algemeen. Ik wil op Susan drinken, op dit ene leven dat nog steeds geleefd wordt, godzijdank. Ik bedoel ons allemaal, maar nu is het dit ene, speciaal... ach, wat sta ik te bazelen.'

'Nee, je hebt gelijk,' zegt Andrew en ze nemen alle-maal een slokje van hun wijn, terwijl Andrew in het warme licht naar Mark kijkt en bedenkt dat als Mark god-zijdank zegt, hij een echte, een aanwezige God bedoelt. Daarom houdt Elizabeth van hem, denkt hij – niet cy-nisch, zoals de rest, een denker, een gelover, vrijwilliger bij de daklozenopvang. Een doener van goede daden.

'Het is alsof je zonder het te weten steeds langs het randje loopt,' zegt Ray. 'Dan gebeurt er iets en besef je het ineens.'

Susan kijkt hem aan, een woedende oogopslag. Dit is haar verhaal.

'En dan vergeet je het weer,' zegt Elizabeth.

'Ik dacht het niet,' zegt Susan. 'Niet zo snel.'

'We waren je huis aan het bewonderen,' zegt Mark tegen Andrew met een handige uitwijkmanoeuvre. 'Er zit een hoop werk in.'

'Je had het moeten zien toen hij het kocht,' zegt Elizabeth.

'Zo erg was het niet,' zegt Andrew.

'Nee,' zegt Mark. 'Maar ik heb er gewoon bewondering voor dat je een plek voor jezelf hebt gemaakt, het helemaal hebt doorgezet en zo mooi hebt gemaakt. Ik weet niet of ik dat had gekund.'

'Jij misschien wel,' zegt Susan. 'Ray niet.'

'Hé,' zegt Ray.

'Nou, wel dan?'

'Waarschijnlijk niet,' zegt hij. 'Ik zou denk ik in mijn atelier gaan wonen en er een kookplaatje neerzetten.'

'Of een vrouw zoeken om voor je te zorgen,' zegt Susan.

'Of een vrouw zoeken,' zegt hij. Maar het is niet helemaal een grapje, ze lachen er niet samen om, ze kijken niet eens naar elkaar. Andrew glimlacht alsof het een grapje was en neemt zijn wijn mee naar de keuken.

Mijn keuken, denkt hij.

Ik weet niet of ik het had gekund, had Mark gezegd. Jij had het niet gehoeven, denkt Andrew. Hij zet de grote geëmailleerde pan op de gaspit, ontsteekt de vlam eronder. Jij hebt een huis, jij hebt Elizabeth, jij hebt dóchters. De anderen lachen in de aangrenzende kamer en Andrew snijdt de boter in plakjes, kijkt hoe die begint te smelten. De anderen praten, een zacht onverstaanbaar gemurmel. Jullie hebben elkaar, jullie zorgen voor elkaar. Andrew weet niet eens zeker of hij die mooie spullen wel wil, hoewel hij ze zich al geruime tijd kan veroorloven. En het was, oké, het was belachelijk dat hij op die ene kamer woonde, aan een kaarttafeltje at en op een matras op de grond sliep. Bovendien is het financieel verstandig om iets te kopen in plaats van te huren.

Maar toch.

Het voelt als een capitulatie: dat hele leven dat voor hem ligt. Hij giet een scheutje van de extra goede olijfolie in de pan, wacht tot het heet is en roert er de zorgvuldig gesnipperde sjalotjes door. De geur vult de kleine keuken, sjalotjes in boter.

'Heb je gin in huis?' vraagt Susan.

Ze staat daar in de deuropening, een blonde schone – geen teer poppetje, een forse, gezonde Hollandse meid – maar haar ogen zijn roodomrand als konijnenogen en Andrew ziet dat ze heeft gehuild. Het is hem ontgaan in de schemerige huiskamer.

'Zat,' zegt hij. 'Drie soorten. Hoe wil je het hebben?'

'In een glas,' zegt ze.

'Met ijs?'

'Kan me niet schelen,' zegt ze. 'Ik wil gin.'

'Ik ken dat gevoel,' zegt Andrew en hij zet het gas onder de pan laag om aanbranden te voorkomen, pakt een van de mooie, blauwgerande Mexicaanse glazen – die Elizabeth hem heeft helpen uitzoeken – en vult het op de koelkast met ijs. Die handeling, achter in de kleine ruimte, trekt Susan dieper de keuken in, waardoor hij zich, als hij terugloopt om de gin te halen – het is een éénkontskeuken – langs haar moet wurmen. Susan keert zich naar hem toe, niet van hem af. Als hij wil passeren, houdt ze hem met haar lichaam tegen. Andrew weet niet wat dit betekent. Hij slaat zijn armen om haar schouders en laat haar zo rusten, met haar hoofd op zijn schouder. Ze zegt niets. Ze huilt niet. Andrew voelt de contouren van haar lichaam door de lagen kleren heen, ze drukt zich in haar volle lengte tegen hem aan, borsten en heupen. Dit betekent iets, denkt Andrew. Dit is geen begroeting of afscheid of fijn je weer te zien, maar iets anders. En dan gaat het door. Nog langer door: Susan die hem vasthoudt, met haar hele lijf vasthoudt, totdat Andrew haar zwaar, vol, bleekroze en blond voor zich ziet. Hij denkt aan Jude, donkere huid, donker haar, de laatste keer. En dan beginnen de sjalotjes – hij ruikt ze – te karamelliseren, wat niet moet. Maar hij kan niet loslaten. Hoewel ze niet huilt, kan hij haar nog niet uit zijn armen zetten; en bovendien weet hij niet zeker of hij dat wel wil. Het is een tijd geleden dat hij door iemand is vastgehouden en er zit iets van troost in, een rustplek, schuilplek, hij zou zo kunnen blijven staan, ook al betekent het eigenlijk niets, hij zou kunnen blijven... alleen kleuren de sjalotjes, hij ruikt ze, nog even en ze branden aan, verbrandt de boter, en hij heeft geen nieuwe sjalotten, ook al zou hij opnieuw willen beginnen.

'Sorry,' fluistert hij, terwijl zijn omarming verslapt. Hij verwacht dat ze hem laat gaan, maar dat doet ze niet.

'Sorry,' zegt hij nog eens, en trekt zijn lichaam langzaam van haar weg, zodat ze beiden met lege handen in het stuurloze keukentje staan. Ze kijkt niet naar hem. Ze kijkt nergens naar.

Andrew roert de sjalotten, iets te laat maar het kan nog, het moet maar, en roert de afgewogen kom rijst door de boter en olie, roert tot die glanst.

Als hij zich weer omdraait staat ze er nog, verlaten. Hij pakt haar hand en ze lijkt tot leven te komen – kijkt hem aan, glimlacht verontschuldigend, knijpt in zijn hand en laat los.

'Neem me niet kwalijk,' zegt ze.

'Ik moest op het eten letten,' zegt Andrew. 'Ik was bang dat het zou aanbranden.'

'Ja,' zegt Susan. 'Ja, dat is oké. Het gaat al beter.'

Andrew roert in de pan terwijl zij zich een glas gin inschenkt. Hij wacht tot ze met een verklaring komt, hem iets vertelt. Wat gebeurde er daarnet? Hij is blij dat hij van nut kan zijn, maar zou graag weten waarom.

'We hebben laatst een huis in Rockville bekeken,' zegt Susan.

'Rockville,' zegt Andrew. 'Rockville? Wat is er mis met jullie huis?'

'Niks,' zegt ze. 'Ray zou graag een atelier aan huis hebben in plaats van altijd op de universiteit te moeten werken. Maar met ons huis is niets mis.'

Susan is niet van plan hem iets te vertellen.

'Bovendien,' zegt ze, 'kunnen we het niet betalen.'

'Meer dan je dacht, zeker?' zegt hij, beleefd neuzelend. 'Alles is tegenwoordig zo duur.'

'Dat is het zeker,' zegt Susan en ze glipt als rook de keuken uit, terug naar de andere kamer, terug naar de anderen, de stellen.

Andrew kijkt naar zijn pan met rijst.

Vrouwen en hun raadsels.

Ze komen, ze gaan, ze vrijen met je of niet, ze gaan weg, ze leggen hun hoofd op je schouder en drukken hun lichaam tegen je aan en dan vertrekken ze zonder enige uitleg. Of misschien vertellen ze het aan ieder ander. Misschien vertellen ze het alleen niet aan Andrew.

Was hij zelf maar raadselachtig. Maar Andrew is zo doorzichtig als glas, naakt in zijn behoeften. De wereld weet wat hij nodig heeft.

'Dat ruikt goddelijk,' zegt Mark. 'Hoe sta je met je wijn?'

'Ik heb nog, ik heb nog.'

'Kan ik iets doen?'

'Niet echt,' zegt Andrew.

'Heb je nog wat van Jude gehoord?' vraagt Mark.

Hét bewijs: zo doorzichtig als glas.

'Ik kreeg laatst een mailtje van haar,' zegt Andrew. 'Ze werkt als privélerares voor de zoon van de broer van de ex-president van Turkije, als ik het goed heb.'

'Bevalt haar dat?'

'Half en half. Die jongen is oké, maar de personeelsverblijven vindt ze maar niks, ze zou liever in de eetzaal bij de filmsterren zitten, zegt ze.'

'Typisch Jude,' zegt Mark. 'Dat komt nog wel.'

'Wat?'

'Bij die filmsterren zitten.'

'Wie weet,' zegt Andrew. Hij wil niet dat ze medelijden met hem krijgen. 'En jij?' zegt hij.

'Niets bijzonders,' zegt Mark. 'Z'n gangetje. Wat ga jij met de feestdagen doen?'

'Ik weet het niet. Ik wil naar Thailand of zo, ergens waar ze nog nooit van Jezus of de kerstman hebben gehoord.'

'En wat ga je echt doen?'

'Waarschijnlijk wat ik altijd doe – op bezoek bij mam in het verzorgingstehuis, daarna naar jullie toe en te veel drinken. Het zal mij benieuwen wie ze nu weer denkt dat ik ben. Vorige maand was ik haar broer Ernie, de broer die in Korea is gesneuveld.'

'Nou, je bent zeker welkom,' zegt Mark.

'Ik nodig wél mezelf uit, hè?'

'Nee,' zegt Mark. 'Alleen denk ik – het staat nog niet allemaal vast – maar ik denk dat we deze kerst misschien gaan skiën met de familie van Elizabeth. Het is echt de enige mogelijkheid, weet je, nu Emily op school zit en zo. Ik heb me nooit gerealiseerd hoe ontzettend je daaraan gebonden bent.'

Andrew voelt zich gepikeerd, weer in de steek gelaten. Het is belachelijk, ja. En het is niet hun taak om zijn leven in te richten, maar toch.

'Weet je wat Kerstmis is?' zegt Andrew, en Mark haalt zijn schouders op. 'Kerstmis is één grote samenzwering om alleenstaanden een klotegevoel te geven. Daarom wil ik naar Thailand, ik bedoel, daar hebben ze waarschijnlijk precies hetzelfde, maar dat begrijp ik dan tenminste niet. Het is zoiets als wat je voortdurend in de krant leest, dat mensen minstens één keer per dag door een ander moeten worden aangeraakt omdat er anders iets mis met ze gaat.'

'Denk je dat dat niet zo is?'

'Het is verdomme propaganda van gehuwden, Mark.'

'Jeetje,' zegt Mark. 'Wil je een knuffel of zo?'

'Donder op,' zegt Andrew, weer opgewekt.

'Misschien hebben wij juist hulp nodig,' zegt Mark. 'Het is moeilijker dan het lijkt om getrouwd te blijven.'

'Waar gaan jullie skiën?'

'Dat wil je niet weten.'

'Waar gaan jullie skiën, Mark?'

'Gstaad,' bekent Mark.

'Zwitserland,' zegt Andrew. 'Hij wel, hè.'

'Nou, het is nog niet definitief. Maar de vrouw van Elizabeths broer heeft daar geloof ik een huisje en de wisselkoers is dit jaar behoorlijk gunstig. Het was niet ons idee.'

'Zwitserland,' zegt Andrew.

'Het wordt niks dan familie, familie, familie,' zegt Mark. 'Niet echt een pretje.'

'Tuurlijk niet,' zegt Andrew, terwijl hij de zeevruchten in de dampende pan schuift, de garnalen en coquilles. 'Misschien moet ík gaan, misschien moet ík Elizabeth en de kinderen meenemen. Want ik zou me wel vermaken in Gstaad, denk ik.'

'Van mij mag je.'

'Misschien kunnen we het straks aan Elizabeth vragen,' zegt Andrew. 'Haar een paar glazen wijn voeren en kijken wat ze zegt. Ik zou het doen, Mark, ik zou zó meegaan, alleen maar om te bewijzen dat het mogelijk is, dat iemand zich kan vermaken in Zwitserland. Wil je de troepen verzamelen? Het is klaar.'

En dan is hij weer alleen en misschien is het de wijn

of misschien het eten – de complexe damp die uit de pan oprijst, de roze garnalen – of misschien iets heel anders, maar Andrew voelt zich plotseling goed. Hij staat daar in zijn keuken voor zijn vrienden te koken. Hij heeft goede keuzen gemaakt en verkeerde, maar het heeft goed uitgepakt, en al is zijn leven bepaald niet wat hij zich ervan had voorgesteld, al is zijn leven minder dan wat hij had gehoopt, het is in ieder geval redelijk en beter dan de meeste levens. Hij heeft vrienden, hij heeft geld, hij kan mensen goed onthalen en soms heeft hij ook nog Jude. Hij pakt de mooie nieuwe borden uit de mooie nieuwe kast en schikt er de asperges, de risotto, de peterselie op.

Peterselie, denkt hij. Wat doe ik hier?

Hij kan Jude horen lachen.

Ook heeft hij het idee dat zijn plotseling toegenomen welbehagen wel eens kan komen van Susans aanraking, van haar lichaam in volle lengte tegen hem aan. Misschien hadden ze gelijk, wie die 'ze' ook waren – misschien was hij door gebrek aan lichamelijk contact aan het wegkwijnen, aan het verschrompelen. Drie keer per dag. Wie raakt hem drie keer per dag aan?

'O,' zegt Elizabeth, 'o, Andrew, dat ziet er schitterend uit,' en ze gaat de anderen, de stellen, voor in een applaus waar Andrew van bloost.

'Het lijkt Aeroflot wel,' zegt hij. 'Iedereen klapt bij de landing, alleen omdat je niet bent neergestort.'

'Ach, gelul,' zegt Ray. 'We zijn gekomen om te eten.'

'Nou, eet dan,' zegt Andrew en dat doen ze.

Dan is het er weer, dat gevoel dat het goed is. Niet alleen Andrew, maar de hele tafel voelt het: ze hebben het gered, ze leven en ze zijn gezond. Susans ongeluk herinnert hen eraan hoeveel geluk ze hebben. Buiten is de winteravond, een koude wereld die zich eindeloos uitstrekt, en zij zitten hier binnen, een haardvuur, wat Cubaans gepingel op de achtergrond, eten en conversatie en misschien is het niet alleen maar materie, de dingen die hij heeft gekocht, de borden, het zilver- en glaswerk, de Spaanse eiken eettafel. Misschien is het gewoon gereedschap om juist dit te bewerkstelligen: deze rust, deze geborgenheid.

De mannen eten in elk geval.

Elizabeth neemt af en toe een hapje, eet met lange tanden. Susan eet van alles de helft: een halve garnaal, een half schelpdier, een halve aspergestengel. Ze knoeit met de rest, schuift het op haar bord heen en weer, en ik heb dit voor jou gemaakt, denkt Andrew. Ik wilde dat dit je goed zou doen.

Misschien is Susan zwanger, denkt hij. Misschien zijn ze het allebei. Hij herkent de tegenzin van Elizabeth, haar eerdere zwangerschappen, de manier waarop ze zonder trek at om hem niet teleur te stellen.

Of misschien is het gewoon niet zo lekker, hoewel het hemzelf best smaakt.

'Het spijt me,' zegt Susan. 'Ik kan niet...'

Ze duwt haar bord van zich af, wil opstaan, maar haar voeten glijden onder haar vandaan alsof iemand het touwtje heeft doorgeknipt en ze zakt opzij tegen de tafel en op de grond. Haar jurk blijft in haar val ergens aan haken en nu ligt ze half ontkleed op de grond, haar benen

bloot tot haar middel en haar effen blauw katoenen ondergoed zichtbaar.

'Jezus christus,' zegt Ray. Maar hij klinkt eerder
kwaad dan bezorgd, gegeneerd of zo. Is dat wat het huwelijk met je doet? Zij valt en hij is kwaad.

Elizabeth is degene die het eerst bij haar is, degene die
haar jurk weer over haar blote benen trekt.

'Wat heb je?' zegt ze.

En Susan zegt: 'Alsjeblieft.'

'Alsjeblieft wat?'

'Ga alsjeblieft weg,' zegt ze en keert haar hoofd van
Elizabeth af, zodat ze door het woud van stoel- en tafel-
poten in de richting van het vuur kijkt. Waar geen gezichten zijn, denkt Andrew.

Zijn beurt om naast haar te knielen, met Ray aan de
andere kant.

'Heb je je hoofd gestoten?' vraagt Ray. 'Niks gebroken?'

Maar Susan heeft haar ogen dicht, wil niet praten, kan
het niet, ze begint met haar hoofd heen en weer te schudden – zachtjes, nee en nee en nee – en van ergens uit
haar keel komt een neuriënd of kreunend geluid door
haar gesloten lippen, Andrew voelt het meer dan hij het
hoort en het geluid gaat dwars door hem heen. O, jij,
denkt hij. Je hebt pijn. Ineens ziet hij haar: hartstochte-
lijk, vol pijn, languit op zijn mooie nieuwe vloer. Hij
zoekt haar hand en zij pakt hem, grijpt hem stevig vast
en trekt zijn hand naar haar keel en houdt hem daar met
beide handen terwijl ze huilt.

Ray knielt gegeneerd en kwaad aan haar andere kant.

Ze houdt zijn hand vast alsof het de allerlaatste strohalm is.

Haar bleke, mooie benen gestrekt als die van een dode vrouw. Al haar scepsis verdwenen en daarvoor in de plaats deze sprakeloze, weerloze...

'Ik breng haar naar huis,' zegt Mark. 'Tenzij jullie denken dat ze naar het ziekenhuis moet.'

'Er is niks aan de hand,' zegt Ray. 'Ik denk dat ze gewoon doodop is.'

Alsof ze niet in de kamer is; behalve voor Andrew, die het trillen van spieren en zenuwen voelt als ze probeert te stoppen met huilen, zich weer de kamer in probeert te trekken. Keer op keer, als zomers weerlichten.

'Volgens mij is ze oké,' zegt Ray tegen Mark. 'Na het onderzoek vanmiddag was ze oké.'

Wat ze ook mag zijn, denkt Andrew, oké is niet het woord. O, jij, denkt hij, terwijl hij neerziet op haar gesloten gezicht – Susan, die hij zo lang als een vanzelfsprekendheid heeft beschouwd, die hij kende en op wie hij rekende – omdat ze het fijn vond dat er op haar werd gerekend – en nu ligt ze hier, veranderd.

Dan laat ze zijn hand los en keert zich ook van hem af. Van hen allemaal.

'Ze heeft niets,' zegt Ray.

Hij staat op en Andrew, even later, ook.

Susan ligt nog op de grond. Elizabeth en Mark voeren zo'n woordloos, ondoorgrondelijk gesprek waar de stellen zo goed in zijn. De halfgenoten maaltijd ligt op hun borden.

'Ik denk dat we beter kunnen gaan,' zegt Ray.

'Ik breng jullie wel,' zegt Mark – en heel even kijkt Susan omhoog naar die twee, de mannen, en ze vuurt een straaltje woede en afkeer op hen af. Ze wil niets met hen te maken hebben. Dan sluit ze zich weer.

'Kom op,' zegt Elizabeth moederlijk. 'Kom op, Susan. Het is een nare dag geweest, ik weet het. We brengen je naar huis, straks voel je je beter. Susan. Toe.'

Die intonatie van haar, dat moederlijke overwicht: doe dit, doe dat, ik weet het, volg me.

'Ik wil de avond niet bederven,' zegt Susan, terwijl ze rechtop gaat zitten.

'Ik maak me ongerust over je,' zegt Elizabeth.

'Laat me gewoon even op bed liggen,' zegt Susan. 'Ik ben zo weer oké.'

Dit is allemaal geheimtaal. Ze zegt iets en de anderen verstaan haar, maar Andrew niet. Haar gezicht bijvoorbeeld is niet oké – haar gezicht ziet er niet uit, vol vlekken en vegen.

'Ik denk dat we moeten gaan,' zegt Ray.

'Ik wil niet,' zegt Susan. 'Ik wil alleen even op bed liggen. Het is zo over als ik even op bed kan liggen.'

'Natuurlijk kan dat,' zegt Andrew. 'Kom.'

Susan pakt zijn hand en trekt zich op, gaat op haar eigen benen staan – om Ray en Mark en Elizabeth te bewijzen dat ze het kan – en kijkt van gezicht naar gezicht naar gezicht met een blik die Andrew opnieuw niet kan peilen.

Misschien wil ze gewoon niet betutteld worden. Misschien is dat het gewoon.

Andrew volgt haar naar de slaapkamer, sluit de deur.

Susan gaat op de rand van het bed zitten, vouwt haar handen tot een stijve knoop in haar schoot en kijkt naar haar handen. Grote, vaardige handen, denkt Andrew. Zo heeft hij haar nog nooit gezien.

'Het was niet mijn bedoeling om...' zegt Susan.

'Dat weet ik,' zegt Andrew zonder te wachten tot ze is uitgesproken.

'Ik dacht dat het zou gaan,' zegt ze. Haar stem klinkt klein en verwonderd, anders dan normaal. 'Ik dacht dat ik het wel zou redden.'

'Nee,' zegt hij. 'Je onderschat het gauw, zo'n ongeluk.'

'Het is niet het ongeluk.'

'Nee,' zegt hij. En denkt: wat dan wel? maar vraagt het niet.

In plaats daarvan knielt hij op het nieuwe kleed naast het bed en helpt haar uit haar schoenen. Ze draagt zwarte veterlaarsjes met hakken, zwarte laarsjes die meer dan één ding van plan lijken.

'Het spijt me dat ik je feestje heb bedorven,' zegt ze.

'Ik ken je niet zo goed, hè?' zegt Andrew.

Dan laat ze Andrews hand los, neemt die van haar terug om haar eigen hand te omklemmen en het is tijd om te gaan.

'Je weet niets,' zegt ze.

'Wil je het licht aan houden?'

'Ik doe het zo wel uit,' zegt ze. 'Ik red me wel.'

'Goed dan,' zegt Andrew. Hij komt overeind en glipt de deur uit. Zo is het om een kind te hebben, denkt hij – en herinnert zich hoe zijn eigen moeder welterusten zei, de kamer uit ging, de akelige eenzaamheid als ze wegging, en beseft nu voor het eerst dat een deel van haar bij hem achterbleef...

De andere drie zitten nog aan tafel en kijken alsof ze elkaar nooit eerder hebben gezien.

'Hoe is het met haar?' vraagt Elizabeth.

'Ze lijkt me in orde,' zegt Andrew, als hij weer plaats neemt achter de rest van zijn maaltijd. 'Moe.'

'Tuurlijk is ze moe.'

Geen van de anderen eet nog, ook al zijn hun borden niet leeg, maar Andrew heeft ineens weer honger. Hij schenkt zijn glas voor driekwart vol met de Italiaanse rode wijn die Cipolato hem heeft aanbevolen, en die is echt lekker, stevig en kruidig en vol. De risotto is ook lekker. Echt, het kan hem niet schelen wat de anderen ervan vinden, of ze in de stemming zijn om te eten of niet. Andrew kookt voor zichzelf, Andrew eet.

'Heb je naar haar pupillen gekeken?' vraagt Ray.

'Niet speciaal. Ik bedoel, ik neem aan dat ze er nog waren. Ik had het vast gemerkt als ze ontbraken.'

Ray kijkt kwaad, Elizabeth geamuseerd, Mark kijkt bedroefd dat hij op zo'n moment grappen maakt.

'Als het een hersenschudding is,' zegt Mark, 'is een van de dingen waar je naar moet kijken of de pupillen te groot zijn of verschillend van grootte. We weten niet of ze met haar hoofd ergens tegenaan is geklapt. Ze zegt dat ze het zich niet herinnert.'

'Ze lijkt me in orde,' zegt Andrew. 'Van streek.'

En dan kijken ze elkaar weer aan, wisselen ze boodschappen uit die Andrew niet kan ontcijferen.

'Wie zou dat niet zijn?' zegt Elizabeth.

'Koffie?' zegt Andrew.

En ja, ze zouden vanavond – zo blijkt – allemaal liever ergens anders zijn, in ander gezelschap, ze zijn niet voor elkaar in de stemming, niet na een dag als vandaag. Andrew zou zelf ergens anders willen zijn, het maakt opeens onrustig, die mistroostige aanblik van zijn eigen knusse huisje dat de wereld VRIJGEZEL VRIJGEZEL VRIJGEZEL lijkt toe te schreeuwen. Straks nog de brokaten kamerjas met satijnen kraag van Hugh Hefner. En over de anderen kan Andrew alleen maar gissen. Elizabeth bij haar kinderen, Ray schilderend op zijn atelier, Mark opent de hulp voor daklozen. Opent de gulp voor het vozen. Andrew is nu in een vreemde bui.

Maar ze slaan zich erdoorheen.

Zo gaat het nu al jaren, al sinds de universiteit. Terwijl hij cappuccino maakt (het stomend sputterende Italiaanse espressoapparaat), denkt Andrew: als je voor anderen in de stemming moet zijn, als ze elke keer bij je moeten passen, dan worden we allemaal eenzaam. Met hen samen zijn is een groot goed. Een maaltijd maken, andere stemmen in zijn huisje hebben, de knabbelgeluiden van Ray die met het geluid zacht naar universiteitsfootball kijkt, Elizabeth die in zijn boekenkast snuffelt. Gewoon wat rondhangen, de ruwe pogingen tot vriendschap.

Het punt is dat hij het ervaart als een man die weggaat, die vanuit het treinraam de stad ziet wegglijden in de wetenschap dat hij niet terugkomt...

Andrew is nu in een vreemde bui. Hij heeft over alles hetzelfde gevoel, weggaan, wegglijden, weg. Ray gaat over op bier. Andrew trekt nog een fles wijn open. Ze praten: binnenlandse politiek, roddels, huizenmarkt, niks nieuws. Niemand vertelt hem iets, maar dat geeft niet. Ze zijn er. Hij is niet alleen. Het is weer een kleine overwinning, een wereld die al sneller en sneller lijkt te draaien, er naar alle kanten mensen vanaf slingert en als ze elkaar niet weten vast te houden worden ze er in hun eentje vanaf geslingerd en hier, in zijn kamer, in deze kring van kaarslicht en televisielicht en lamplicht houden ze zich aan elkaar vast. Ze houden nog steeds vol. Dat is wat waard.

'We moeten de oppas verlossen,' zegt Elizabeth om klokslag elf uur.

'Nee, helemaal geen punt,' zegt Andrew. 'Ik weet wel dat mijn gezelschap die vijf dollar per uur niet waard is.'

'Ik zou er wel zevenvijftig voor overhebben,' zegt Mark, 'maar Mindy is, zeg maar, zo'n scholiere van een paar deuren verderop.'

'Mandy,' zegt Elizabeth.

'We krijgen de grootste heibel met haar ouders als ze niet op tijd thuis is.'

'Eigenlijk denk ik dat ze nog naar een feestje moet,' zegt Elizabeth.

'Ik heb nog de tijd meegemaakt dat een feest pas rond middernacht begon,' zegt Ray.

'Dat gebeurt nog steeds,' zegt Andrew. Hij vindt het allemaal vreselijk vals, vals en opgeblazen klinken, maar hij wil niet dat ze al weggaan.

'Ik wed dat er binnen een straal van een paar honderd meter ook op dit moment feestjes beginnen, met ons soort mensen van onze leeftijd,' zegt Andrew. 'En ik wed dat ze daar drinken en drugs gebruiken en zich uitstekend vermaken.'

'Hoe moet het met Susan?' vraagt Mark.

'Ik zal haar wakker maken,' zegt Ray.

'Nee, niet doen,' zegt Elizabeth. 'Na een dag als vandaag.'

'Ze kan hier niet blijven,' zegt Ray.

'Natuurlijk wel,' zegt Andrew. 'Ik slaap wel op de bank. Geen enkel punt.'

'Laten we eerst eens kijken of ze wel slaapt,' zegt Ray en ze lopen met z'n allen naar de slaapkamerdeur, wat Andrew het gevoel geeft dat zijn flat door al dat gewicht naar die kant kan overhellen, en Elizabeth duwt voorzichtig, zachtjes, de deurkruk omlaag. Daar in de kamer – met de lamp nog aan – ligt Susan behaaglijk te slapen. Haar wangen zijn roze van de warmte, haar benen achteloos gespreid onder haar rok. Mooi, denkt Andrew. Schone slaapster.

Ze kijken allemaal en trekken zich dan uit de deuropening terug, en Elizabeth doet – stil, moederlijk – de deur weer dicht.

'Ze lijkt me in orde,' zegt Elizabeth.

'Ik moet haar mee naar huis nemen,' zegt Ray.

'Nee,' zegt Mark. 'Laat haar slapen.'

'Ik vind het best,' zegt Andrew. 'Ik kan haar morgen met de auto brengen. Geen enkel probleem.'

'Het punt is,' zegt Mark, 'dat je haar elke twee uur wakker moet maken, dat heeft de dokter gezegd. Als ze moeilijk wakker te krijgen is of hoofdpijn krijgt – als het ernstig is – als ze misselijk wordt of moet braken, dan moet ze meteen naar de spoedeisende hulp. Akkoord?'

'Was jij met haar mee?' zegt Andrew.

Mark lijkt opeens verward, verlegen.

'Ik was er niet,' zegt Ray. 'Mark was degene die haar moest ophalen.'

'Wat een geluk,' zegt Andrew. 'Wat een geluk dat jij er was.'

Niemand van hen kijkt hem aan. Hij is ergens dichtbij maar hij weet niet waarbij, weet niet waar de moeilijkheid zit. Voor een deel steekt hem dat, en voor een deel laat het hem koud.

'Ik zorg wel voor haar,' zegt Andrew. 'Geen enkel probleem.'

Het idee bevalt Ray nog steeds niet, maar toch doet hij zijn jas aan, volgt Elizabeth naar de deur. Er worden handen geschud, zoenen gegeven, Andrew wil ze niet weg hebben, maar nu ze gaan wil hij ze de deur uit hebben. Een mooi vlot afscheid.

'Vergeet niet haar wakker te maken,' zegt Mark. 'Iedere twee uur.'

En dat is dat.

De restanten van het feest, glazen, kopjes en lege flessen, het wijnglas met lippenstift van Elizabeth op de rand; Andrew verzamelt alles en ruimt op. Wel goed, deze kleine puinhoop – het haalt de nieuwheid, het blinkende van het appartement er een beetje af. Het geeft je bijna het gevoel dat hier iemand woont, dat dit thuis is. Voordat ze vertrok had Elizabeth de vuile borden naast de gootsteen opgestapeld, had ze een vochtige doek over de nieuwe eiken tafel gehaald. Andrew staat net zijn gootsteen met heet water te vullen als Susan komt binnenlopen.

'Eindelijk zijn ze weg,' zegt Susan.

'Je bent wakker,' zegt Andrew – de idioot.

'Ik dacht dat ze nooit zouden weggaan.'

'Heb je nog wat geslapen?'

'Ray neukt met Elizabeth,' zegt ze. 'Ik moest even een nachtje weg.'

Ze gaat aan de ontbijtbar zitten, kiest het schoonste van de vuile glazen en schenkt een staartje rode wijn in, ruim een half glas. Andrew is ineens boos op haar, op hen allemaal. Al die klotestellen, denkt hij, al die domme geheimen, al die onverschilligheid.

'Sinds wanneer?' zegt hij.

'Sinds eeuwen,' zegt ze, 'sinds altijd, sinds vóór jou en vóór mij en vóór alles bij elkaar. Ze zijn er nooit mee opgehouden.'

Dan voelt hij het, die grote donkere zekerheid die in zijn hart neerdaalt. Zelfs toen deed hij er niet toe. Bestond hij niet.

'Waarom?' zegt hij, en Susan lacht.

'Omdat ze het willen,' zegt ze. 'Omdat het kan.'

Andrew draait de kraan dicht. Waarom is dit zo belangrijk voor hem? Maar dat is het wel, dat voelt hij. Iedereen wist ervan, behalve Andrew. Hij was er buiten gehouden.

Andrew trekt het laatje naast de gootsteen open en haalt er het pakje Camel Light uit, de asbak – zijn moeders asbak – en de kleine plastic aansteker, schenkt zich een glas wijn in en gaat naar de eetkamer, met Susan achter zich aan.

'Ik wist niet dat je rookte,' zegt Susan.

'Wat me dwarszit is dit,' zegt hij, terwijl hij een sigaret neemt en haar dan het pakje toeschuift. 'Ik ga alleen naar bed, niet elke nacht, maar vaak wel. Ik denk voortdurend aan kinderen, ik bedoel, ik weet niet, misschien fantaseer ik het maar, maar ik denk eraan. Het is alsof er een gen bestaat voor zulke relaties, iets dat jullie hebben en ik niet. Het maakt niet uit wat je doet als je dat gen hebt. Ik bedoel, Ray en Elizabeth, jezus christus. De oudste pubers van de wereld.'

'Ik geloof niet dat het zo zit,' zegt Susan zachtjes. 'Ik geloof dat het een kwestie is van de juiste persoon vinden.'

Jude heeft dit pakje sigaretten gekocht, denkt hij. Jude voor wie ik ook niet besta.

'Waarom pik je het?'

'Doe ik ook niet,' zegt ze. 'Elke keer dat het gebeurt, is de laatste keer. En dan gebeurt het opnieuw.'

Ze schudt een sigaret uit het pakje en houdt die nieuwsgierig tussen haar vingers, neemt een denkbeeldig trekje.

'Ik zou het vast niet lekker vinden, hè?'

'Waarschijnlijk niet.'

'Waarschijnlijk niet,' zegt ze en ze stopt de sigaret terug in het pakje. 'Zo is het met zoveel dingen, je denkt dat het ontzettend lekker moet zijn omdat het slecht voor je is, maar als je het probeert is het eigenlijk helemaal niet zo lekker.'

Ze praat zacht, vouwt het pakje zorgvuldig weer dicht en kijkt dan naar haar handen. Overal om hen heen de stilte, halftwaalf. Andrew voelt haar verwarring, merkt dat hij er zelf met verwarring op reageert. Wat gaat ze nu doen?

'Het spijt me dat ik je met die toestand overval,' zegt Susan. 'Het spijt me van alles.'

'Wat ga je nu doen?'

'Ik weet het niet,' zegt ze en kijkt naar hem op – en ze weet het ook niet, ze weet niet eens waar ze moet beginnen. Opnieuw ziet hij haar, heel even, heel scherp, hoe het voor haar moet zijn. Ziet hij haar door de straat rijden, naar hen toe of bij hen vandaan.

'Waarschijnlijk niets,' zegt Susan. 'Hetzelfde als altijd. Toch voelt het anders.'

'Hoe?'

'Ik weet het niet,' zegt ze hoofdschuddend. 'Ik heb het gevoel dat ik je erin heb geluisd door op deze manier hier te blijven. Ik kan hem bellen.'

'Nee.'

'Hij heeft zijn mobieltje bij zich in de auto.'

'Nee, niet doen,' zegt hij – heeft dan het gevoel dat hij iets heeft gezegd wat hij niet wilde zeggen, zich heeft blootgegeven. Hij begint opnieuw: 'Ik bedoel, je mag hier echt met alle plezier blijven. Ik ben niet boos op je.'

'Zou je wel moeten zijn.'

'Goed, ik ben boos,' zegt hij. 'Niet echt op jou, maar op jullie allemaal. Jullie hadden beter moeten uitkijken.'

'Je hebt gelijk,' zegt ze. 'Je hebt gelijk.'

Andrew drukt zijn sigaret uit, nipt van zijn wijn.

Daar zit ze, wegkijkend naar de hoek, na te denken. Opnieuw heeft hij het gevoel dat hij haar voor het eerst en misschien voor het laatst ziet, dat hij de vertrouwde versie van haar ziet wegvallen voor deze nieuwe, onverwachte persoon.

Haar hand ligt open op de tafel tussen hen in.

Andrew legt zijn eigen hand eroverheen, voelt dan hoe ze die ontvangt, hem omdraait, blindelings naar het licht keert, dan zijn hand pakt en naar haar lippen brengt en kust, eerst de palm, daarna de binnenkant van zijn pols. Hij voelt haar daar in zijn hele lijf, een hevige, galvanische uitbarsting van gevoel, lichamelijk gevoel en ook dat andere, de verrassing, dat wat er al de hele avond was: Susan.

En voorlopig weet hij precies wat hij moet doen. Hij staat op om haar naar zich toe te trekken en ze omhelzen elkaar, net als eerder maar volkomen anders, ze omhelzen elkaar als geliefden. Hij voelt haar lippen in zijn hals en ziet Jude verdwijnen, eenmaal andermaal, verdwenen, Mark en Elizabeth, stukjes van hemzelf, zijn verleden, allemaal verdwenen, het appartementje, het eenpersoonshuisje waar hij de rest van zijn leven alleen zou doorbrengen, hij zal het nu moeten verkopen om ruimte voor haar te maken, maar nu is ze hier.

'Hoe heb ik je over het hoofd kunnen zien?' zegt Andrew.

Ze schudt haar hoofd tegen zijn borst. 'Niet praten,' zegt ze.

De jarige

Zaterdagavond in de Sip 'n' Dip: Piano Pat loeit haar vijf-
endertigduizendste vertolking van 'Take Me Home,
Country Roads' terwijl studenten en studentes – voor de
kerst thuisgekomen en er tot nieuwjaar gestrand – aan
de piano slurpen van hun mixdrankjes en meezingen.
Het is tien uur of halfelf en buiten komt de sneeuw met
pakken naar beneden. Ik haal een aangelengde Daniels
en neem die, niet zonder spijt, mee terug naar de kamer.
De bar is gezellig, warm, raamloos en luidruchtig. Buiten ziet de straat eruit als de IJsplaneet.

'Waar is mijn Coke?' vraagt Justin.

'Welke Coke?'

'Die je niet voor me hebt meegenomen,' zegt hij.

Ik diep een pakje dollarbiljetten op uit de voorzak van
mijn spijkerbroek, trekt er eentje tussen de hoop uit en
gooi het naar zijn hoofd. In een reflex schiet zijn hand
omhoog om het te vangen. Hij is als tweedejaars al wis-
selspeler op het tweede honk in zijn schoolteam in San
Diego. Als hij opstaat om een Coke-automaat te gaan
zoeken is hij opnieuw groter dan ik, dat is hij al dit hele
bezoek geweest, maar het verrast me opnieuw.

Als ik de laptop tot leven wek, blijkt de vlucht van zijn

moeder nog steeds vertraging te hebben, nog niet uit Salt Lake te zijn vertrokken: aankomsttijd wordt niet vermeld. Ik ben blij dat ik daar niet met haar ben. Ze verveelt zich gauw en als ze zich opgesloten voelt, wordt ze dol als een terriër in een doos. Bovendien rookt ze niet meer volgens Justin, wat het alleen maar erger zou maken. Ik weet nog dat ze op diezelfde luchthaven was, dat ze daar in die glazen rokerskooi zat te praten en te lachen met haar medezondaars terwijl de niet-rokers zich in hun eentje zaten te vervelen. Op de televisie zijn de cheerleaders van de Dallas Cowboys aan het touwtrekken met de mooie Raiderettes, over een modderpoel heen, onder een helblauwe hemel in de trillende schaduwen van palmbomen. Het is een beetje riskant, maar leuk riskant – het helt naar moddergevechten – en de meisjes hebben allemaal een grote witte *smile*. Ze hebben de tijd van hun leven. Buiten de motelkamer fluit de wind om de hoeken van het gebouw en tikt de sneeuw op het glas.

'We hebben een werkster,' zegt Justin. 'Nou jij weer.'

Hij ploft met een aanloop languit op het bed, en het bed protesteert.

'Bij mij komt af en toe een meisje,' zeg ik. 'Als het goed is komt ze morgen. Wanneer ik in mijn eentje ben, heb ik nooit een hulp nodig.'

'Bedoel je dat ik een chaoot ben?'

'Jezus, ja. Kijk jij wel eens achter je?'

'Nee.'

'Zou je toch eens moeten doen,' zeg ik. 'Een spoor van lege colablikjes en snoepwikkels en vuile sokken en ik weet niet wat nog meer.'

'Oma,' zegt hij.

'Vuilak.'

Ik klap de zilverkleurige Apple dicht en ga uit het raam staan kijken, naar de sneeuw die horizontaal door het lantaarnlicht vliegt, naar de auto's die door de straat kruipen, de kegels van hun koplampen afgetekend tegen de sneeuw. Elaine komt hier nooit weg met dit weer, zelfs daar niet als ze geluk heeft. Ze kunnen beter die hele vlucht afzeggen dan dat ze uren in de lucht moeten cirkelen, wachtend op beter weer, op een gaatje om te landen. Ik stel me Elaine voor op haar eigen motelkamer, alleen, dertienhonderd kilometer verderop; en ik geef toe dat ik een zekere bevrediging uit dat beeld put. Laat haar maar eens afzien. Laat haar de nacht maar alleen doorbrengen.

Justin kijkt naar de cheerleaders terwijl ik de Black Star opbel om te horen hoe de zaken er daar voorstaan met de storm. Carter laat weten dat alles stevig dicht zit en dat het vee in de luwe ravijnen staat waar het hoort te zijn. Hij zegt dat het daar niet zo hard sneeuwt en denkt dat het niet eens gaat vriezen. Ik zeg hem dat ik hier zeker deze nacht en een nog moeilijk in te schatten deel van morgen vastzit. Oorspronkelijk zouden Justin en zijn moeder morgenochtend om tien uur het vliegtuig nemen, maar met dit weer is er geen peil op te trekken.

Wat Carter me heeft verteld vat ik samen in een kort mailtje dat ik naar New York stuur. Ik beheer de Black Star voor iemand die bekend is van de televisie. Het is eigenlijk meer een bureaubaan dan je zou denken, maar ik missta nog steeds niet op een paard.

'Ze gaan trouwen,' zegt Justin.

Het duurt even voordat het tot me doordringt. Als het zover is, vraag ik me af waarom hij me dat nu pas vertelt, terwijl hij al tien dagen bij me is. Dat vraag ik hem dan ook.

'Ik weet het niet,' zegt Justin. Hij houdt zijn blik angstvallig op de tv gericht, waar de cheerleaders op enorme, bijna twee meter hoge rubber ballen proberen te balanceren. Hij zegt: 'Ik dacht dat je het niet zo leuk zou vinden. En ik vond dat mam degene was die het moest vertellen.'

'Was dat de reden dat ze je kwam ophalen?'

Justin haalt zijn schouders op, maar ik weet dat het zo is en ik weet dat ik het maanden geleden, toen dit plan opkwam, had moeten zien aankomen. Ik vond het toen al vreemd. Met zijn vijftien jaar kon hij best alleen vliegen, dat heeft hij op de heenweg ook gedaan. Ik heb het al die tijd geweten. Ik hoopte al die tijd dat ze wilde praten, al wist ik niet waarover. Dat ze me iets zou zeggen. Niet dit.

Justin zegt: 'Ik denk niet dat ze vanavond nog komt.'

'Nee, denk ik ook niet.'

'Het zal er wel op uitlopen dat ik haar morgen in Salt Lake zie.'

'Wanneer is de trouwerij?'

'Juni,' zegt hij.

'In het Coronado.'

'Goeie gok.'

'Het was geen gok,' zeg ik. 'Ze wilde haar hele leven al in zo'n soort tent trouwen. Ze houdt van chic. Del zal wel geld hebben voor chic.'

'O, zat.'

Buiten is de wind woest en jaagt de sneeuw. Zaterdagavond elf uur en er is niemand op straat, geen hond, geen auto, geen voetganger – behalve, nu ik kijk, één oude man in een rood-zwart geblokt jack, die onder de rand van zijn hoed tegen de wind optornt. Hij loopt langzaam en doelbewust. Het maakt me opeens zomaar ontzettend verdrietig om naar hem te kijken. Alleen en buiten in dit weer, op een avond dat niemand buiten hoort te zijn. Eigenlijk weet ik dat het waarschijnlijk een ordinaire dronkenlap is, die vanuit de kroeg naar huis loopt omdat hij te vaak is aangehouden om nog te mogen rijden. Maar als ik hem zo zie, zo eenzaam en klein, merk ik dat er iets in me breekt.

Als ik me van het raam wegdraai, vang ik Justins onderzoekende blik op. Zijn ogen schieten terug naar de tv, maar te laat. Ik merk dat hij naar me heeft gekeken, heeft geprobeerd te peilen hoe ik op dit nieuwtje reageer. Niet dat daar iets mis mee is. Natuurlijk is hij nieuwsgierig.

'Je mag wel naar de bar als je wilt,' zegt hij. 'Ik kijk nog even een tijdje tv. Ik haal je wel als ze belt of zo.'

Ik zeg niets.

'Ik vermaak me wel,' zegt hij.

Dit is Justins laatste avond hier tot aan het voorjaar, en ik weet dat ik zou moeten blijven. Maar hij is dit keer lang genoeg geweest om door me heen te kijken, en wat ik nu voel is niet iets wat een vader zijn zoon graag laat zien: klein, zwak en machteloos. Elaine gaat trouwen. Natuurlijk gaat ze trouwen! Dat is haar zaak. Maar ik voel me wel totaal uit het lood geslagen door het nieuws.

'Misschien één borrel,' zeg ik tegen hem. 'Een vlug-gertje. Ik weet haast zeker dat ze er niet door komt.'

'Honderd procent zeker,' zegt hij. 'Hebben ze echt zeemeerminnen?'

'Jazeker.'

'Heb je ze gezien?'

'Alleen op foto's.'

'Maar je hebt nooit een echte zeemeermin gezien?'

'Nog niet,' zeg ik. 'Wie weet vandaag of morgen.'

'Kom me maar halen als je er straks eentje ziet, goed?' zegt hij. 'Ik meen het. Zodra de zeemeerminnen komen, moet je me komen halen.'

'Afgesproken,' zeg ik. 'Daarnet waren ze er niet. Maar ik haal je echt als ze zich laten zien.'

'Echt doen,' zegt hij.

De Sip 'n' Dip Lounge, moet je weten, is op de eerste verdieping van het motel en het zwembad op de tweede en de hele achterwand van de bar is één groot raam met zicht op het onderwatergedeelte van het bad. Ik verzin het niet, je kunt het natrekken. Op sommige avonden ge-ven ze een voorstelling waarin meisjes in badpak en met meerminvinnen artistieke onderwaterdansjes doen ter-wijl ze door een luchtpijpje ademen. Ik heb er foto's van gezien en heb het me laten beschrijven. Het hele eind door de lange gangen van het motel hoop ik dat ze er zijn als ik de bar in kom. Het lijkt me een prima avond voor zeemeerminnen.

Maar als ik de bar in loop, is het zwembad bijna leeg en is het allemaal minder levendig dan eerst. De studen-ten zijn hun lol ergens anders gaan zoeken, Piano Pat heeft pauze genomen – of is definitief weg – en het is al halftwaalf, wat me min of meer overvalt. Er speelt lichte tingelende jazz op de achtergrond en de stellen die zijn gebleven zitten verspreid tussen de tafeltjes, de visnetten, Polynesische maskers en gipsen inktvissen. In plaats van zeemeerminnen hebben we een zwaarlijvig stel in het zwembad achter de bar.

Ik bestel een Daniels met ijs en een flesje Bud, wat ik altijd bestel als ik een beetje roezig wil worden. Ik had getrouwd kunnen blijven als ik had gewild. Zij was degene die wegging, maar ik was degene die de boel onmogelijk had gemaakt. Dat wist ik. Toch hield ik van haar. Niet dat ik nog veel hoop of verwachtingen had, ik wachtte helemaal niet, zat niet er met ingehouden adem bij. Maar het idee dat ze gaat trouwen – en niet zomaar trouwen, maar trouwen met Del, die in een beveiligde wijk woont en drie keer per jaar een nieuwsbulletin over zichzelf rondstuurt – geeft me het gevoel dat ik op het punt sta iets los te laten waarvan ik niet wist dat ik het vasthield. *Geen liefde*, had ze geschreven. Justin heeft me een keer zo'n nieuwsbulletin laten zien, vol interessante informatie over Del, geïllustreerd met glanzende kleurenfoto's.

'Ik ben vandaag jarig,' zegt de vrouw op de barkruk naast me.

'Nou,' zeg ik, 'van harte.'

In het gedempte licht ziet ze er ongelooflijk weelderig uit, lang lichtbruin haar bij elkaar gehouden door een brede haarkam in haar nek, een gebloemde blouse en een lange donkere rok. Voor haar op de bar staat een bruin bierflesje waarvan het etiket bijna helemaal is afgekrabd. Propjes etiket liggen als muizenkeutels op de bar voor haar.

'Ik had nu in Mexico moeten zitten,' zegt de vrouw.

Ik laat dit even betijen en we nemen allebei een slokje terwijl we naar het onderwaterstel achter de bar kijken. Het vergrotende effect van het water maakt hun benen gigantisch, net zeekoeien. Misschien weten ze dat we kijken, misschien ook niet. In het blauwe licht slingeren hun benen zich om elkaar. God mag weten wat hun bovenlijven doen, maar hun benen schijnen niet van elkaar te kunnen afblijven.

'Ik heb al heel lang geen seksuele gevoelens,' zegt de vrouw.

Daar blijft het bij, ze wacht op een reactie, maar ik kan niets bedenken. Na een tijdje zegt ze: 'Het was al nooit een prioriteit voor me, en toen ging ik aan de antidepressiva. Ik kan je wel vertellen, die hele eerste golf, Prozac, Wellbutrin, dat soort pillen hakt erin op dat gebied. Heb jij ooit met dat spul te maken gehad?'

'Ik niet.'

'Nee, natuurlijk niet,' zegt ze. 'Ik ken geen vrouw van boven de dertig die niet aan de antidepressiva is, niet een. De mannen drinken zich elke avond gewoon een slag in de rondte. Vandaar dat al die Spanjaarden en Koreanen dit land overnemen, tegen tienen zijn de heren straalbezopen en de dames zijn, nou ja, van onderen van hout. Wil je wat voor me doen?'

'Met alle plezier,' zeg ik tegen haar. Ik meen het.

'Ik ga zo dadelijk een pakje sigaretten kopen,' zegt ze, 'maar als je weggaat wil ik dat jij ze meeneemt. Gooi ze weg, houd ze onder de kraan, maakt me niet uit. Maar haal ze hoe dan ook uit het zicht. Anders rook ik het hele pakje op en dan stink ik naar sigaretten bij Bob.'

'Bob.'

'Mijn verloofde,' zegt ze. 'In Puerto Vallarta.'

'Iedereen gaat trouwen,' zeg ik.

'Niet iedereen,' zegt ze. Ze tilt zich van de barkruk met een lichte, onbeschonken elegantie en loopt naar de hal, waar de automaten en toiletten zijn. Als ze niet dronken is, wat dan? Ik denk aan Justin op de kamer en bedenk dat ik er misschien beter tussenuit kan knijpen nu ze weg is. Maar dat doe ik niet. Ik bestel nog een Daniels met ijs en ga weer zitten kijken hoe de enorme zeekoebenen in het blauwe, net niet echte water drijven. De benen doen heel vriendelijk tegen elkaar. Een hand zweeft even omlaag in het water en verdwijnt dan weer naar boven.

'Zal ik je iets geks vertellen?'

Het was weer het meisje, of de vrouw, wat dan ook – ergens rond de dertig, plus of min, met een lief bezorgd gezicht en weelderig haar. Ze tikt een Marlboro uit het pakje, houdt het mij voor, en ik pak er een.

'Hoe heet je?' vraag ik.

'Mijn tweelingzus was gisteren jarig,' zegt ze. 'Je weet vast niet hoe dat kan.'

'Zij is om een voor twaalf geboren en jij om een over,' zeg ik.

Ze kijkt even beteuterd, maar dan klaart haar gezicht op. Ze zegt: 'Ik hoor dat ze hier zeemeerminnen hebben.'

'Vanavond niet,' zegt de barvrouw, een pronte rood-harige dame met een gezicht als een scheepsboeg. Ze zegt: 'Alles zit vandaag potdicht door de sneeuw en zo. De zeemeerminnen belden om acht uur dat ze niet eens zouden proberen om te komen. Ik mag blij zijn als ik zelf nog thuiskom.'

'Wat dacht je van Mexico,' zegt het meisje op de kruk naast me. Probeer met dit weer maar eens naar Puerto Vallarta te komen.'

'Heb je een hond?' vraag ik haar.

'Hoezo?'

'Ik heb het idee dat je van alles een hebt. Eén twee-lingzus, één verloofde.'

'Eén been,' zegt ze giechelend.

'O ja?'

'Kom je nooit te weten,' zegt ze. 'Dat is het zoveelste ding in het grote onkenbare universum, het zoveelste stukje informatie buiten je gezichtsveld.'

'Mag ik je een drankje aanbieden ter ere van je ver-jaardag?' vraag ik.

'Gwen,' zegt ze. 'En jij?'

'Richard.'

'Richard, ik zou een pina colada heerlijk vinden.'

'Regel ik voor je,' zeg ik haar. De barvrouw heeft het gehoord en vraagt met een onzichtbaar barkeepersge-baar of ik ook nog iets wil, en ik knik onopvallend ja. Gwen zet een foto voor ons op de bar van een heel grote, treurig kijkende hond, een soort van mastiff, wit met één grote bruine vlek op zijn flank. Hij ligt op zijn zij op een houten veranda met op de achtergrond een weelderig, dicht, groen bos, bijna een oerwoud, zoals hier nergens te vinden is.

'Waar kom je trouwens vandaan?' vraag ik.

Ze zegt niks, pakt alleen mijn arm stevig vast en ik volg haar blik omhoog naar het bassin. De barvrouw brengt de drankjes, geeft wisselgeld terug van het twintigje dat ik op de bar had gelegd en kijkt dan ook naar het bassin. De hand is weer terug. Het is een vrouwenhand met een trouwring en we volgen allemaal hoe die achter in de zwembroek van de man verdwijnt.

'Gatverdamme,' zegt de barvrouw en ze draait zich om naar een vaste klant aan het eind van de bar. 'Wayne? Wayne, wil jij die mensen even vertellen dat iedereen kijkt?'

'Tuurlijk,' zegt Wayne. 'Nu meteen?'

'Dat gaat niet goed daar,' zegt de barvrouw.

Gwen staart omhoog in het blauwe licht van het bassin, alsof ze meer ziet dan wij allemaal, wat misschien zo is. Er lijkt niet veel te gebeuren. Niet meer dan een hand die op iemands kont ligt, maar ik word er eenzaam van als ik ernaar kijk. Zijn benen kunnen ermee door, harig en gespierd, maar haar benen zijn een toonbeeld van al het vet, bederf en verval die het lichaam belagen. De vrouw van wie deze benen zijn is niet jong, niet groot en niet slank. En toch strelen en drijven ze daar samen in het zwembad. Ze wanen zich alleen. Ze vergeven elkaar voldoende om elkaar te strelen. Ze drijven.

'De dingen die ik wil en de dingen die ik nodig heb, die kan ik maar niet combineren,' zegt Gwen die nog vol aandacht zit te kijken. 'De mensen van wie ik hou. Bob zegt tegen me dat ik naar sigaretten stink.'

'Je bent jarig,' zeg ik. 'Je mag wel een beetje plezier hebben.'

'Ik járig? Wie heeft je dat verteld?'

'Jij.'

Haar blik maakt zich langzaam los van het blauwe water in het bassin en zakt naar mijn arm, die nog door haar hand wordt vastgehouden. Dat was ik zelf vergeten. Haar ogen worden groot als ze haar hand weghaalt en haar mond vertrekt triestig.

'Mijn god,' zegt ze. 'Ik zei die dingen hardop. Ik was aan het praten, hè?'

'Een beetje,' zeg ik.

'Ik dacht de hele tijd dat ik droomde,' zegt ze. Ze ziet er opeens verslagen uit, nogal dronken, en de barvrouw kijkt me aan alsof het mijn schuld is. Zij was hier eerder, maar dat zal wel niet tellen. Ik denk aan Justin, op de kamer, en besef dat het een vergissing van me was om hier te komen. Ik denk aan de sneeuw buiten. Gwen zegt: 'De pillen.'

'Je kunt beter teruggaan naar je kamer,' zegt de barvrouw.

Gwen zegt: 'Ik weet niet meer welke de mijne is.'

'Dat staat op je sleutel. Kijk of je je sleutel kunt vinden.'

Net op dat moment wordt het licht vreemd en onrustig en als ik opkijk klimt het stel uit het zwembad en is het wateroppervlak een en al beroering die op ons terugkaatst. Het licht op Gwens gezicht is schokkerig als ze de inhoud van haar tas voor zich op de bar gooit – kleingeld,

pepermunt, pennen, Kleenex, een Palm Pilot en een mobieltje – en dan harkt ze er met haar vingers doorheen en
vindt kwartjes, vindt een spuitbusje Mace-pepperspray,
dat de barvrouw maar beter niet kan zien. Ik schuif het
terug in haar tasje en daar is haar sleutel, vlak voor haar,
kamer 212.

'Dank je, Richard,' zegt ze. 'Ik voel me niet helemaal
lekker.'

'Moet ik je helpen om je kamer te vinden?'

'Ja,' zegt ze.

De barvrouw kijkt me nijdig aan – ze keurt het plukken van dronken mensen af – maar ik ben onschuldig,
ik heb goede bedoelingen, ik ben echt van plan haar naar
haar kamer te brengen en meteen terug te komen! Of
misschien ga ik gewoon naar mijn kamer terug om Justin gezelschap te houden als hij nog wakker is, wat ongetwijfeld het geval is. Die jongen slaapt niet, behalve de
hele ochtend. Gwen propt haar spulletjes weer in haar
tas en klimt behoedzaam van de barkruk, met een lach-
spiegelgolfje in haar bewegingen. Een minuut geleden
was er nog niks met haar aan de hand. Piano Pat start de
Wurlitzer als we weggaan, een vlaag arpeggio's die ge-
leidelijk overgaat in 'Bad, Bad Leroy Brown'.

'Ik ga niet met je neuken,' zegt Gwen op de gang.

De student, die vijftien meter voor ons op weg is naar
de ijsmachine, is verbaasd het te horen. Hij kijkt met
grote ogen om.

'Dat idee had ik ook niet,' zeg ik. De gang strekt zich
nog ver voor ons uit, eindigt in een blinde hoek; het parkeerterrein achter de glazen deuren vult zich met

sneeuw als melk in een glas. De auto's zijn onherken-
bare hopen, dierlijke vormen, witte katten die zich sla-
pend hebben opgerold. De student wacht bij de ijsmachine, wacht tot we langskomen en gaapt ons aan. Hij is
nieuwsgierig. Ik onderdruk de opwelling om mijn mid-
delvinger naar hem op te steken. De muziek van Piano
Pat – drumcomputer, piano, synthesizer, orgel – echoot
en achtervolgt ons als een giftige mist door de lange
gang.

Na wat een halfuur heeft geleken komen we bij kamer
212 aan. Ik geef haar de sleutel, die ik voor haar heb vastgehouden en zeg iets vriendelijks en beleefds bij wijze
van afscheid, met een licht gevoel van opluchting.

'Wacht,' zegt Gwen.

'Waarom?'

'Ik wil niet alleen zijn,' zegt ze. 'Even maar. Kom op.'

Ze draait de sleutel om en opent langzaam de deur die
ze voor me openhoudt. En ja, ik weet wat je denkt, maar
dat is het niet. Ik verwacht helemaal niet dat ik iets met
haar kan. Ik wil niet eens naar binnen. Maar haar gezicht
ziet er zo verloren en eenzaam, zo abrupt naakt uit, dat
het verraad zou zijn om me nu om te draaien. Zo heb ik
ook gekeken, denk ik. De eerste keer dat Elaine wegging,
keek ik zo. Ik kon haar gewoon niet de rug toekeren.

In haar kamer is het niet zoals ik verwachtte.

Om te beginnen de bloemen, een grote bos roze, paars
en groen in de ijsemmer, een rode anjer in een waterglas
naast het bed, een paar leeuwenbek- of orchideeachtige
dingen op het andere nachtkastje. De lucht in de kamer
is stil en zwaar van de geur van bloemen en haar toilet-

artikelen en parfums, een tikje muf. En er zijn kaarsen, die ze kennelijk heeft laten branden op het bureautje bij de tv toen ze naar de bar ging. Op de tafel een stilleven van wijn, brood en kaas, een eenzame maaltijd. In de hoek bij de kast staat zwarte professionele bagage, de Travelpro-cabinetrolley van de ervaren luchtreiziger en de grote zwarte monsterkoffer.

Ze gaat op bed liggen en begint te huilen. Ik sta onzeker in de deuropening. Waar moet ik met mezelf heen? Ik weet nooit wat ik moet doen met een huilende vrouw. Ik schijn ook nooit een ander soort tegen te komen. Gwen heeft zich in de vorm van een S gevouwen, met haar gezicht van me afgewend. Ik weet niet wat ik moet doen met mijn lichaam. Opnieuw bedenk ik dat ik gewoon weg moet gaan, terug naar mijn zoon, terug naar mijn leven. En net op dat moment schiet me te binnen dat ik Justin als baby op een koude winteravond door een aanval van kroep heb heen geholpen, een avond dat hij geen lucht meer kon krijgen en we met z'n drieën op een boerderij zaten, zo ver weg van alles dat we vanuit het huis geen ander boerderijlicht konden zien, alleen maar sterren. Een daar lag hij, hij kreeg geen adem, twee jaar oud, nog niet eens. En ik weet nog dat ik hem mee naar de douche nam en in de stoom hield, probeerde dat glibberig gladde lijfje niet te laten vallen. Na een tijdje begon hij beter te klinken. We bleven voor alle zekerheid nog een uur met hem in de stoom staan, en al die tijd stond Elaine op de veranda te roken en te bidden – hoewel ze helemaal niet godsdienstig was, behalve in medische noodgevallen en met ijsregen op de grote weg. Ik weet niet waarom dit nu bij me opkomt, maar het gebeurt: de zachte natte huid, de paniek.

'Je kunt beter geen kaarsen laten branden als je hier niet bent,' zeg ik tegen haar wanneer de tranen ophouden. 'Het hele motel kan in de fik gaan.'

'Het is brandvrij.'

'Jij niet.'

'Nee,' zegt Gwen. 'Maar mij kan het niet schelen.'

Ze glimlacht naar me als ze dit heeft gezegd, een brede geforceerde grijns, die als een gloeilamp uitgaat. Ze komt van het bed als een oude vrouw, traag, stijf, gaat aan de tafel zitten en schenkt uit een open fles een glas wijn voor zichzelf in, daarna een voor mij. Ze denkt na. Ze ziet er nog steeds weelderig uit, volkoren, zo'n meisje dat haar kleren misschien zelf maakt, al dat lange bruine, steile glanzende haar, om door een ringetje te halen. Als ik tegenwoordig vijf minuten op bed ga liggen en ik sta weer op, dan zie ik eruit alsof ik een week dood ben geweest.

'Je hebt iemand nodig die voor je kan zorgen,' zeg ik.

'Ik weet het.'

'Ik kan dat niet.'

'Dat heb ik ook geen moment gedacht,' zegt ze. 'Bob kan het ook niet. Die zit op een strand in Mexico.'

'Hij heeft zich bedacht.'

'Nee,' zegt Gwen. 'Hij neemt gewoon zijn mobiele telefoon niet meer op.'

'Misschien is zijn batterij dood.'

'Misschien.'

'Misschien is Bob dood.'

'Ik hoop het,' zegt ze – dan rilt ze, alsof ze iets heeft gezegd dat ongeluk brengt. 'Ik wil hem niet dood hebben,' zegt ze. 'Ik wens hem alleen een beetje ellende toe.'

'Misschien moet je hem aan mijn ex-vrouw voorstellen,' zeg ik.

'Haha,' zegt ze. 'Net als Jay Leno.'

Ik zit tegenover haar aan tafel en pak haar hand vast, kijk ernaar, voel hem: een meisjeshand, zacht met lange vingers en spitse, gelakte nagels. Wat dat betreft zorgt ze wel voor zichzelf. Ik kijk niet naar haar gezicht. Ik wil eigenlijk niet weten wat eraan af te lezen valt, wat voor verwachting of wat voor angst. Ik richt me alleen op haar kleine, zachte, aantrekkelijke hand tussen mijn handen.

Ik zeg tegen haar: 'Als het over is, is het over. Dan weet je het. Je zou naar hem toe moeten gaan, zodra het weer omslaat.'

'En als hij er niet is? En als hij me niet wil zien?'

'Dan ben je alleen,' zeg ik. 'Net zoals nu, maar wel met palmbomen en zon.'

'Ik bedoel het goed,' zegt ze – en als ik opkijk zie ik dat ze me aanstaart, alsof ze begrepen wil worden, alsof dit om de een of andere reden ineens belangrijk is. Ze zegt: 'Ik probeer te doen wat goed is, maar ik heb het gevoel dat ik altijd... ik weet niet, dat dingen voor me op de loop gaan. Bijvoorbeeld toen ik met de pillen stopte zodat ik... met Bob kon zijn, zeg maar. Enthousiast kon zijn, want ja, dat vinden mensen aantrekkelijk in iemand. Enthousiasme. Maar toen... ik weet niet, het was alsof alles in een hogere versnelling kwam, gespannen werd, net als de eerste tijd toen ik stopte met roken, dat

157

stemmetje dat maar niet ophield met roepen *tijd voor een sigaret, tijd voor een sigaret...* Weet je wel? Alsof niks op zijn plek wilde blijven, nergens rust. Dus nam ik dat andere spul, alleen om weer wat af te remmen en intussen wil Bob niets met me te maken hebben. Hij zegt opeens dat hij een probleem heeft met mijn *persoonlijkheid* en het komt gewoon omdat ik hem gelukkig probeer te maken. Het loopt nooit zoals ik had bedoeld. Vind je me knap?'

'Zeker,' zeg ik en wrijf over de warme huid van haar handrug.

Ze staat op en met één gebaar, zo lijkt het, stapt ze uit haar sobere rok en blouse, doet haar bh af en gaat naakt voor me staan, alleen in haar kniekousen, zonder een moment haar ogen van mijn gezicht af te houden. Haar lichaam is volmaakt. Het heeft iets verblindends, te fel om rechtstreeks naar te kijken in het flauwe kaarslicht – en de zoeklichten van haar ogen die over mijn gezicht spelen, die iets zoeken, maar wat?

Wat er ook mis met haar is, ik kan het niet verhelpen, ik kan haar zelfs niet helpen. Dat besef ik opeens. Het is een vergissing dat ik hier ben.

'Vind je me mooi?' vraagt ze.

Want dat is ze, ze weet het, ze is mooi maar levenloos, en ik voel me tot haar aangetrokken, tot de smaak van as in mijn mond. Ik sta op om weg te gaan, maar ga niet weg. Alsof ik het niet kan. Als zwaartekracht trekt ze me aan. Haar lichaam is volmaakt, vol als een rijpe vrucht. Haar schaamhaar is witgoud, honingkleurig.

Dan denk ik weer aan Justin, daar op de kamer – zijn

lijfje, nat van de zeep, al die jaren geleden – alleen op onze kamer, en ik weet dat ik hier niet zou moeten zijn, ik weet dat ik niet wil dat hij zo wordt, zo alleen.

'Het spijt me, het spijt me, het spijt me,' zeg ik tegen haar. 'Ik moet weg.'

'Niet weggaan,' zegt ze.

'Ik moet.'

'Niet vanavond,' zegt ze. 'Maar één nachtje.'

'Ik moet weg,' zeg ik. En zelfs dan duurt het nog een lange halve minuut voor ik me ertoe kan zetten om weg te gaan, mijn ogen van de hare los te maken, mijn rug te keren naar haar prachtige lichaam en als een robot weg te lopen, de deur door, de gang op en de gang door, waar ik door kleverige spinnendraadjes van halfvermeende behoeften en verlangens heen breek, waar ik elk moment net zo goed kan omkeren als wegvluchten. Ik heb het gevoel dat ik ternauwernood de dans ben ontsprongen en tegelijkertijd naar haar terug wil, niet zozeer omdat ik haar wil voelen – al wil ik haar voelen – als om haar, voor één nachtje maar, te helpen, als het kan, met haar eenzaamheid.

Ik sta bij de deuren naar de parkeerplaats en druk mijn warme voorhoofd tegen het koude glas. Buiten is de wind gaan liggen, maar het is blijven sneeuwen. Grote dikke vlokken dwarrelen langzaam omlaag, langzaam als de sneeuw in zo'n kerstbol gevuld met trage vloeistof, het huisje met de sneeuwpop ervoor...

Elaine zit op me te wachten als ik in de kamer terugkom, Elaine en Justin.

Onmiddellijk voel ik me beschuldigd en dat klopt – ze

ruikt het aan me, de parfum, de kaarsenrook en sigaretten. Daar was ze altijd al goed in.

'Wat doe jij hier?' vraag ik haar.

Ze ziet er goed uit, chic, duur, gesoigneerd. Ze geeft me op beide wangen een luchtzoen en werpt me een bedekte, waarschuwende blik toe. We gaan er niet over praten waar Justin bij is.

'Ze zijn in Helena geland en hebben ons met de bus hierheen gebracht,' zegt ze. 'Een helse rit.'

'Ik was net even naar de bar,' zeg ik.

'O ja?' zegt Elaine. 'Ik was je daar net gaan zoeken. Een paar minuten geleden nog maar.'

'Je moet me net zijn misgelopen.'

'Dat weet ik wel zeker,' zegt ze.

En dat is alles. Straks gaat ze terug naar haar eigen kamer verderop in de gang; over zes uur zijn we allemaal weer wakker en zal ik door de sneeuw naar de luchthaven terugrijden, met de schelle zon pijnlijk op de witte, witte sneeuw. Over een paar dagen sta jij weer op het tweede honk onder de ritselende palmen, en ik weet dat je je zult afvragen wat er vanavond is gebeurd en dat vertel ik je misschien nog wel eens, al kan ik me niet voorstellen waar of wanneer het ter sprake moet komen. Gewoon weer een dag in de rivier van lang vervlogen dagen.

En nog één ding: ik ben teruggegaan, de avond nadat je was vertrokken. Ik weet niet of ik echt naar haar zocht, maar ik heb wel nagevraagd of ze nog in het motel was. Natuurlijk was ze allang weg. Maar ik ging naar de bar terug, gewoon om wat te drinken, en die avond waren de zeemeerminnen er. En het gekke was: ik kende er een –

ze was het meisje dat ik had ontmoet toen ik een praatje hield voor een mbo-klas, een praatje over boerderijbeheer. Gewoon een leuke meid, hoofdvak landbouwkunde. Maar ik keek dus door het glas omhoog en ik herkende haar meteen, ook al zweefde haar haar helemaal om haar gezicht heen en zaten haar voeten vast in een rubberen staart. En het allergekste was – daar had ik nooit bij stilgestaan – ik denk dat zij ook door het glas naar de bar kunnen kijken, want ze herkende mij ook. Ze zwom naar het glas en ze lachte naar me en zwaaide, en ik zwaaide terug, en toen ademde ze in, door haar luchtpijp, en weer uit. Een sliert belletjes waaierde uit haar mond naar boven door het verlichte blauwe water, naar de onzichtbare hemel daarboven.

Het noordelijke bos

Een huwelijk, welk huwelijk dan ook behalve dat van jezelf, is een van de dingen die je nooit zult doorgronden. Het vertrouwen dat twee mensen verbindt, de twijfels die ons verdelen, de gesprekken en de stiltes – het gebeurt allemaal in beslotenheid, buiten het zicht van iedereen, behalve dat van jou. Zijn we gelukkig? Mogen we elkaar eigenlijk wel? Het is net de achterkant van de maan, het gezicht dat van je is afgewend. En zelfs als een huwelijk voorbij is, als de ex-man of ex-vrouw je eens even flink vertelt hoe het werkelijk was, zit het hele verhaal er nog hopeloos naast. Een huwelijk leeft zolang het leeft, en daarna is het dood. Wat overblijft is niet meer dan een bittere geur, als iets dat brandt. Het vult de lege ruimte waar vroeger het gevoel was. Maar het is het gevoel niet.

Dus: in een bed, in een huis, op een avond, in de dichte, druipende nawee van een herfstbui, liggen Catherine en ik naast elkaar te lezen. Het was oktober. Onze dochter Ellie, twaalf, deed boven alsof ze sliep. We hadden na haar geboorte een huis met bovenverdieping gekocht om wat privacy voor onszelf te houden, maar twaalf jaar later sliepen we nog steeds in pyjama – je voelt een vertrouwd lijf door het katoen van een T-shirt heen – terwijl Ellie boven alles deed wat ze maar wilde.

Catherine las haar boekenclubboek; misschien was het die week Nagieb Mahfoez of God van de dieren. Ik las Helen en Scott Nearing, oude communisten en pioniers van het landleven, over muren bouwen zonder specie. We hadden in de bergen ten noorden van ons wat grond gekocht, een perceeltje met een vijver en een oude steengroeve waar ik een hut voor ons zou bouwen. Eerlijk gezegd hadden we dat land intussen al drie of misschien wel vier jaar en we hadden er alleen nog maar een paar keer gekampeerd. Toen we het kochten – voornamelijk mijn idee – was Ellie nog heel klein en ik stelde me haar voor als een pioniertje dat haar vader een steen aanreikt en bewonderend toekijkt hoe hij die precies pas in de muur legt. Zoiets is ze nooit geworden. Af en toe hadden we het wel over verkopen, maar het was gemakkelijker om te blijven denken dat het nog eens van bouwen zou komen. We hadden geen haast. We hadden geld genoeg.

Catherine dronk muntthee, ik dronk een exclusief donker biertje dat ze voor me had gekocht, en we waren langzaam aan het afzakken naar de slaap. En opeens schoot me iets te binnen wat ik eerder die dag op mijn werk had gehoord. Ik zei: Peter en Maria gaan uit elkaar.

Ze schrok – ik voelde het – alsof het nieuws haar fysiek raakte. We hadden elkaar terloops aangeraakt, maar nu deinsde ze terug.

Waar heb je dat gehoord?

Weet ik niet meer, zei ik. Maar het is waar. Sarah had Maria in de natuurwinkel gezien en toen vertelde ze het.

Ik voelde hoe ze zich terugtrok op de vertrouwde koele afstand. Ik nam een slokje van mijn bier.

Wat is er gebeurd? vroeg ze na een tijdje. Weet iemand wat er is gebeurd?

Ik weet het niet, zei ik. Misschien is er niets gebeurd.

Aan jou heb ik ook nooit wat, zei ze. En hoewel ik wist dat ze het als grapje bedoelde, zei ze het wat nadrukkelijker dan nodig was geweest, ik herkende iets in de toon, iets scherps dat me afschrikte. Hier moet ik niet over nadenken, dacht ik. Dit wil ik niet weten.

Krankzinnig, zei ze na een tijdje.

Maar ze fluisterde het tegen een ander, een ander dan ik, buiten de kamer.

Krankzinnig, zei ik, ik knipte mijn lampje uit en draaide me op mijn zij. Ik moest om kwart voor vijf op en het was waarschijnlijk niets. Ik lag zo lange tijd met mijn rug naar haar toe op de slaap te wachten en deed op een gegeven moment maar alsof. Lang nadat ik het licht had uitgedaan, minstens drie kwartier later, boog Catherine zich naar me toe en fluisterde zachtjes, om me niet wakker te maken: Ik hou van je.

Ik stond op met Elvis Presley die 'Cold Kentucky Rain' zong, nam een douche terwijl de koffie op het vuur stond, vulde mijn thermosfles en vertrok, verliet mijn huis met slapende vrouwen. Had ik wel geslapen? Alles voelde als een vervanging van iets anders.

Ik had de pick-uptruck de middag ervoor ingeladen en zat voor het aanbreken van de dag op de grote weg, waar ik mijn koplampen volgde, mijn koffie slurpte en luisterde naar de onderbroken slag van de ruitenwissers. Het regende niet hard. Het zou wel sneeuwen boven op de pas waar ik heen ging. Tussen mijn dromen, mijn donkere wakende leven en mijn gedachten aan het berggebied dat ik zou binnengaan – de eerste sneeuw dwarrelde tussen de donkere dennenbomen omlaag, de geur van ijs – voelde ik me zweverig en licht, en ik dwong mezelf om aan de komende tocht te denken, bij wijze van houvast. Ik zou boven op de Great Burn op zoek gaan naar lynxen, die ik niet zou zien. Niemand ziet ooit een lynx. Mijn collega Rick Johnson werkt al dertig jaar in de bergen achter Seeley Lake, diep in de wildernis, en hij heeft er nooit een gezien. Ik heb er nooit een gezien. Ik heb sporen gezien, hun vachthaar uit vallen gekamd en opgestuurd voor DNA-onderzoek, heb er zelfs een keer een geroken, denk ik, al kun je zoiets onmogelijk hard maken. Maar ik heb er nooit een gezien.

Tegenwoordig laten we het veldwerk aan de postdoctoraalstudenten over. Deze trip was een uitzondering, een beloning voor een zomer binnen zitten, op cijfers kauwen en aan subsidies werken. Ik moet er af en toe uit. Anders word ik helemaal een stijve huismus. Ik ging naar het boreale bos, de bergen in, de enige plek waar een wilde lynx kan leven, de laatste halte voor de boomgrens – en ook boven de boomgrens, een groen steenachtig reservaat van steile rotsen, meren en gletsjerkommen. Ik was eerder in het gebied geweest, maar zuidelijker dan waar ik nu heen ging. Dit land zou helemaal nieuw voor me zijn.

Toen ik door Tarkio reed, schoot me te binnen dat ik

de nacht ervoor had gedroomd van Maria. Had ik met haar gezoend? Het zou niet de eerste keer zijn geweest. Ik kende haar al zolang ik Catherine kende – ze waren studiegenoten toen we elkaar tegenkwamen, vriendinnen, altijd gebleven. De eerste nacht dat Catherine en ik samen sliepen, sliep Maria in de kamer ernaast. Gedurende de eerste tien jaar van ons huwelijk was zij de onofficiële derde partner, vriendin, getuige en scheidsrechter. Vrijdagavonden op de bank naar oude films kijken en pizza eten. Ze was er zelfs bij in de kraamkamer toen Ellie werd geboren, en hield Catherines andere hand vast. Maar vier jaar geleden leerde ze Peter kennen.

Ik ging bij Superior van de grote weg af, tankte bij de Town Pump en kocht er twaalf blikjes voor in de koelbox. De nieuwe dag brak blauw door de wolken en de regen veranderde in modder. Ik verliet de asfaltweg en schakelde mijn gps-ontvanger in zodra de klim naar de bergpas begon.

En het was inderdaad vreemd dat Catherine niet van de scheiding wist, dat ze het van mij moest horen. Maar ze zagen elkaar al een tijdje niet zo vaak meer, zij en Maria. Daar was de klad in gekomen na het huwelijk, wat alleen maar logisch was. Bovendien was Peter indertijd een van mijn postdoctoraalstudenten – ze hadden elkaar via ons leren kennen – maar niet een van mijn beste, uiteindelijk. De anderen deden het beter, vonden werk als docent. Peter bleef seizoenswerk doen voor wisselende adviesbureaus in de stad. We hebben er nooit over gesproken, maar ik weet dat hij vond dat ik meer voor hem had kunnen doen. Daar kwam bij dat ze aan de streek gebonden waren vanwege Maria's werk, dus hij kon niet echt elders zoeken. Het was al een jaar of twee geleden dat we met z'n vieren hadden gegeten. Maar Catherine ging nog af en toe met Maria koffie of een wijntje drinken. Of niet?

Ik ging van het brede bospad af en nu eiste het rijden al mijn aandacht op. Ik stapte uit in de regen, zette de vrijloopnaven om, schakelde de vierwielaandrijving in en vouwde de boskaart op de stoel naast me uit. Tussen mij en waar ik probeerde te komen was er een spinnenweb van houtkappaden te ontwarren. Verderop waren ze nog bezig met kappen; tegen een boom was een kartonnen bordje gespijkerd waarop in oranje verf CB 9 stond, en ik zette mijn bakkie op dat kanaal om te horen of er houtwagens aankwamen. Ik vorderde langzaam, het was een smal pad, steil omhoog, voortdurend in z'n twee. Ik herinnerde me dat ik Maria gisternacht in mijn droom zoende en misschien nog meer. Ik heb haar een paar keer naakt gezien, al is dat jaren geleden. We gingen vaak met z'n drieën, soms met de kleine Ellie erbij, naar de warme bronnen. Ze had een weelderig, mooi lichaam en een knap gezicht. Gek dat ze niet meer geluk had met de mannen.

De weg bleef goeddeels tussen de bomen door lopen, maar af en toe kwam hij uit op een kale plek en kon ik zien hoe hoog ik was. De grond liep steil af en beneden lag de grote weg, het leek alsof je er vanuit een vliegtuig op neerkeek. Het duizelde me een beetje als ik zo naar beneden keek, dus ik hield mijn ogen vooral op de weg gericht. Catherine zegt dat het niet de angst is dat je valt, maar dat je springt. Ik hoefde het stuur maar een halve slag naar rechts te draaien... maar dat deed ik niet en na een tijdje boog de weg af naar het achterland en zag ik onder me alleen een groene deken van dennen, die overging in mist en wolken.

We hebben ook een keer samen geslapen, Maria en ik, terwijl de baby in de andere kamer sliep. Catherine was naar de begrafenis van haar moeder. Het was niet echt de bedoeling.

Ik geloof niet dat ik slechter ben dan anderen, dat weet ik eigenlijk wel zeker.

Het sneeuwde tegen de tijd dat ik het keerpunt bereikte, speldenknopjes sneeuw die tussen de regen omlaag kwamen, maar dat vond ik wel best. Alles werd er mooi door, wit kantwerk op groen gras. Ik besloot die nacht in de auto te blijven en mijn tent en slaapzak niet mee te nemen naar het meer. Ik was op beide mogelijkheden voorbereid. Maar als er die nacht een dik pak viel, wilde ik niet door kuithoge sneeuw hoeven ploeteren. Ik nam mijn kleine rugzak en vulde die met extra sokken en regenkleding, salami, appels en kaas, een plastic Nalgene-waterfles met een waterzuiveraar, zodat ik die uit het meer kon bijvullen, wat extra kammen en monsterzakjes voor de lynxval en een pot met dode, bijna totaal vergane stukken konijn, het aas voor de val. De pot zat stevig dicht, was in plastic gepakt en stonk helemaal niet. Maar toen ik hem zag kwam de herinnering terug aan die penetrante, door en door bedorven stank die ik niet kwijtraakte, en even moest ik kokhalzen.

Ik trok de veters van mijn laarzen strak, bleef toen een

tijdje staan om te bedenken wat ik nog was vergeten.

Overschoenen, besloot ik. Voor het geval er echt een pak viel. Eigenlijk dacht ik eerder dat het warmer zou worden en weer zou gaan regenen, maar ik nam het zekere voor het onzekere.

De eerste kilometers van de tocht waren gemakkelijk, ik volgde het pad van Bosbeheer omhoog over de bergkam. Na een halfuur kwam ik vanuit het bos een alpenwei op; die kon ik niet zien in de wolken en de sneeuw, maar wel om me heen voelen. Als het weer ooit zou omslaan kon je hiervandaan honderd kilometer ver over Idaho uitkijken. Makelaars zouden zoiets een miljonairsuitzicht noemen. Dat gevoel had ik soms ook als ik in de bossen was, het gevoel dat ik rijk was, dingen die ik zag en dingen die ik aanraakte die met geen geld te koop waren: de lariksen die goud kleurden in de herfst, de smaak van een wilde aardbei.

Ik kon het idee niet van me afzetten dat er een verband was tussen die nacht met Maria en de scheiding, ook al wist ik dat het niet kon. Die nacht was jaren voordat ze elkaar leerden kennen. Ik denk dat Ellie toen geen baby meer was, al meer een peuter, ze sliep de hele nacht door. Het was op een vrijdagavond, een pizza-en-filmavond. De begrafenis zou de volgende dag zijn. Ik weet nog dat Catherine belde om te vragen of ik Maria had uitgenodigd, ik zei nee en toen zei ze dat ik dat moest doen. Maria zat net weer met een verbroken relatie en Catherine wilde niet dat ze op vrijdagavond zou zitten simmen. Zulke vrijdagavonden kwamen vaak voor als Maria even geen vriend had.

Ik weet niet meer wie van ons begon. Het was warm en alle ramen van het huis stonden open. We zaten zwetend op de leren bank te wachten tot de film was afgelopen, terwijl Ellie op de slaapkamer in de airconditioning sliep. We keken een film die Catherine had gehuurd, ik weet de titel niet meer, maar het was iets met veel onderwaterleven, veel zeewier en gezwem. We vonden er allebei niet zoveel aan. Ik stond op om naar de wc te gaan en even naar Ellie te kijken, en toen ik terugkwam zat Maria op de patio onder de kerstlampjes te roken. Ze was zomers gekleed in een korte spijkerbroek met een topje. Ik pakte de sigaret uit haar hand en nam er een trek van, iets wat ik niet gedaan zou hebben als Catherine erbij was geweest. Ik pakte hem zonder te vragen.

Je weet hoe die dingen gaan.

Ik weet wat je denkt, en misschien heb je gelijk. Misschien zou jij het anders hebben gedaan, misschien beter. Je zult het waarschijnlijk nooit weten. Maar misschien zit jij ooit op een zwoele avond, als niemand het ziet en niemand er narigheid van heeft, nog eens met een mooie, willige vrouw en dan weten we het allebei. Ja, toch?

Drie kilometer verder in de woestenij moest ik een keus maken. De sneeuw begon zwaarder en sneller te vallen en hoewel de laag op de grond niet dikker werd, was het zicht praktisch nihil. De lynxval – de eerste op mijn geplande rondgang – lag tussen een groepje alpendennen, een kilometer of wat over ruw terrein vanaf het pad waarop ik liep. Ik kende het terrein niet. Ik was alleen. Het was misschien verstandiger geweest om terug te gaan.

Maar dat deed ik niet – ik wilde het niet. Ik had wekenlang naar dit tochtje uitgekeken. Ik had de gps-coördinaten voor de val en ik had een tussenstop voor de auto ingevoerd, bovendien was het pas negen uur in de ochtend. Ik had de hele dag en ik wist dat ik deze dag voor mezelf zou hebben. In mijn eentje in woest gebied, met een paar goede laarzen en een rugzak en werk te doen: die luxe had ik niet vaak.

Ik ging het ruige terrein in, volgde de pijl op het schermpje van de gps en probeerde het landschap te lezen op basis van de zes meter die ik om me heen kon zien. Het zat werkelijk potdicht door het zware, gestage, intense sneeuwen. De val lag een meter of tweehonderdvijftig boven het pad, een stevige en niet al te steile klim, maar de ondergrond werd glad waar de sneeuw bleef liggen. Ik gleed bijna uit op een paar steile gedeelten. De meeste grond om me heen was gras met dode bloemen, maar er zaten ook rotsformaties tussen, kleine klippen aan de voet waarvan het water zich in poelen verzamelde. In het vale licht en de vallende sneeuw zagen de steenbulten en holten er mooi uit, Japans, met de overhangende bomen met dorre bladeren.

Toen viel de gps uit. Het schermpje ging op zwart. Ik probeerde hem uit te zetten om te zien of ik hem weer aan kon krijgen, maar er gebeurde niets.

Geen punt, dacht ik. Ik had reservebatterijen in mijn rugzak.

Maar toen ik ze had gevonden, de achterkant van het apparaat losschroefde en de batterijen verving, gebeurde er niets. Hij deed het niet meer. Dat was onverwacht.

Geen ramp, maar onverwacht. Het wierp een heel nieuw licht op de situatie.

Ik had wekenlang naar dit tochtje uitgekeken en nu was het voorbij. De berekeningen schoten door mijn hoofd: hoe lang ik zou kwijt zijn als ik voor batterijen terugging naar Superior, of helemaal naar de stad als er een nieuw apparaat nodig was, hoeveel kans ik had om hier voor het vallen van de avond terug te zijn? Ik kwam er maar niet uit. Terug naar mijn kantoortje, naar mijn lege huisje. Ellie zou inmiddels wel op school zitten, en Catherine op haar werk. Het stille huis om halfelf op een doordeweekse dag. Af en toe werkte ik een dag thuis en ik hield van die vrijheid, rondlopend in mijn joggingbroek. Ik zag het voor me.

Ik begon de heuvel af te dalen met het idee dat het een makkelijke route zou zijn: het pad over de bergkam vanwaar ik gekomen was weer oppikken en terug volgen naar de auto. Na een kleine vierhonderd meter – ik was heel dicht bij de top geweest toen de gps uitviel – lag er vijf tot tien centimeter sneeuw die mijn voetstappen van de klim omhoog had uitgewist. Opnieuw dacht ik, geen punt, volg het terrein naar beneden. Net als water.

Tot ik bij de scherpe heuvelrand kwam en moest stoppen. Dit was onverwacht en onaangenaam. Ik had dit nergens op weg naar boven gezien, maar iets anders had ik ook niet gezien behalve de kleine wereld waarin ik me bewoog. De helling was niet zo steil dat ik niet naar beneden zou kunnen klauteren, tenminste voor zover ik kon zien, maar het zou met dit weer een glibberige rotklus zijn en ik wist niet zeker hoe ver ik naar beneden moest. De helling vervaagde in de sneeuw, net als de rest van de wereld om me heen. Het zou verstandiger zijn om rechtsomkeert te maken om te zien of ik de gemakkelijker route kon vinden waarover ik omhoog was gekomen. Het zou voorzichtiger zijn geweest om terug te gaan toen het zo begon te sneeuwen. Maar daar was het een beetje te laat voor.

Ik volgde mijn voetstappen weer de heuvel op totdat de sneeuw ook die had uitgewist.

Het drong pas goed tot me door dat ik was verdwaald toen ik de sporen van mijn eigen laarzen in de sneeuw tegenkwam. Ik liep in kringetjes rond. Zelfs toen raakte ik niet in paniek. De sneeuw viel weliswaar dik en snel en ik zag te weinig om mijn weg te vinden. Maar het was pas – ik keek op mijn horloge – pas kwart voor elf, ik had voedsel, extra kleding en nog alle tijd. Natuurlijk zou het later op de dag een keer opklaren, op tijd om weg te komen. Ik had het weer de avond tevoren op internet gecheckt en er waren geen berichten over zware sneeuwval.

Maar bergen maken hun eigen weer. Op deze hoogte was niets voorspelbaar.

Ik vond een groepje dennenbomen en installeerde me onder de takken. Daar was het donker en stil, als in een kleine kamer. De sneeuw bleef op de takken liggen en eronder was het droog, zelfs de naaldenlaag op de bodem was droog. Ik pelde mijn buitenste wollen jack af en merkte dat het een kilo of zeven woog door alle sneeuw die erop gesmolten was; trok een extra trui aan, zette mijn bivakmuts op en trok de jas weer aan, pakte me warm in. Ik ben behoudend wat buitenkleding betreft en op zo'n dag bleek weer waarom. Mijn voeten zaten warm en droog in leren laarzen die glommen van de nertsolie. Mijn zware wollen jack en wollen Malone-broek zouden me door deze sneeuwjacht helpen.

Maar het nummer 'My Achy-Breaky-Heart' bleef maar door mijn hoofd spelen. Ik dacht bij mezelf dat ik zou doodgaan zoals ik had geleefd, als een belachelijke man. Ik weet niet waarom ik dat dacht. Ik zou daar niet doodgaan. Ik bedoel, het was best mogelijk, maar niet het meest waarschijnlijke. Het meest waarschijnlijke was dat mijn leven op de oude voet zou doorgaan, als een reeks kleine, onbelangrijke vergissingen. Ik dacht aan mijn mobieltje in de cabine van de pick-up. Ik had het niet mee willen nemen omdat ik er zo'n hekel aan had en omdat het zo misplaatst leek in de wildernis. Maar het belbereik is boven de boomgrens vaak verrassend goed, zwakke signalen van ver weg, maar genoeg om verbinding te krijgen. Het is een onbelemmerde zichtlijn.

Ik grabbelde in mijn rugzak en vond kaas en crackers, een wijnsalamiworst en mijn waterfles, en ik dacht: de belachelijke man begint aan zijn laatste maal. Ik weet niet waarom ik mezelf toestond zo te malen. Ik was niet van plan nog ergens heen te gaan, in ieder geval niet die dag. Ik zou ongetwijfeld doodgaan, maar niet op die berg. Ik zat warm en droog en het eten was lekker doordat ik stevige trek had gekregen van het urenlange lopen.

Maar ik kon de gedachte aan mijn dood niet van me afzetten. Als ik vanuit mijn kleine schuilplaats naar buiten keek, zag ik dat de sneeuw elk spoor van mijn tocht zou uitwissen alsof ik er nooit was geweest. En er was niemand die zou luisteren als ik om hulp riep. Geen menselijk oor kon me horen. En van God had ik geen hulp te verwachten. Wat het is met zonde – ik weet dat het woord ouderwets en oubollig klinkt; ik zal iets beters gebruiken als je het kunt vinden – het hele punt met zonde is juist dat je je afwendt, dat is deel van de kick. Niet alleen je van God afwenden, ik heb trouwens nooit veel met God gehad, heb nooit tot hem gebeden, alleen op bergpassen, tijdens ijsregens, Ellies ziekten en andere noodsituaties. Ik was hypocriet, dat is waar.

Want weet je, het is echt heel moeilijk om met zoiets op te houden als het eenmaal is begonnen, zoiets als met Maria. Ook al hadden we het gewild. Er waren onderbrekingen, we kapten ermee en begonnen weer. Maar steeds trok iets ons weer naar elkaar, toeval of opzet, een gevoel dat we samen altijd dat ene grote geheim hadden. We waren de enigen die het wisten en het was nogal wat om te weten.

Heel Ellies kindertijd door, al die jaren, middagen en avonden, soms een weekend. We waren een keer een week in Portland geweest toen Maria daar een congres had, logeerden er in een heel chic hotel, deden alsof we getrouwd waren, alsof we rijk waren. En ze vertelde me dan geheimen, dingen die Catherine haar in vertrouwen had verteld. Catherine had haar eens verteld dat ze al een jaar geen echt orgasme bij me had gehad, alleen maar gedaan had alsof. En dat vertelde Maria me. We wisten dat het verkeerd was, dat was een deel van de kick. Totaal buiten het gewone leven treden, de regels op z'n kop zetten, een deel ervan terugpakken voor onszelf. Maria had af en toe een vriend en dan stopten we een tijdje. We stopten niet eens altijd. Soms gingen we gewoon door, gewoon tussen die vriend door.

Je hebt geen idee wat voor gevoel van macht het je geeft als je dwars door de mensen heen kijkt die denken dat ze je kennen, terwijl jij denkt *ik heb een geheim.*

Het was Maria die me vertelde dat Peter was weggegaan, weggegaan zonder ooit van ons geweten te hebben. Tenminste, dat is wat ze mij vertelde. Dat is de ellende van liegen, als je er eenmaal mee begint, weet je niet meer waar je moet ophouden en zij en ik liepen vanaf het begin over van de leugens.

Ik borg het eten weg, veegde zorgvuldig mijn mes af en keek weer naar buiten, maar er was niets veranderd. De sneeuw viel gelijkmatig en zonder haast, begroef alles onder zich.

Ik ging met mijn rug tegen de grootste dennenboom zitten en sloot mijn ogen. Ik vroeg me af of ik zou kunnen slapen en zo ja, of ik dan weer wakker zou worden. Een deel van me wist dat het onzin was, maar een deel voelde het, die leegte waarin ik was gevallen, het niets dat er was om me te ontvangen. Dat was de grap: al het andere, Maria, Catherine, zelfs Ellie, dat hadden we allemaal onwerkelijk gemaakt. En dit, deze berghelling, deze sneeuwbui, was de werkelijkheid en die wilde me dood hebben. Het voelde belachelijk. Zo begreep ik het, vlak voordat ik in slaap sukkelde: het belachelijke was werkelijkheid, de werkelijkheid belachelijk.

Na een tijd werd ik wakker, ik wist niet na hoe lang. Er

was iets veranderd, iets met het licht. Mijn rechterhand was uit zijn handschoen gegleden en lag bloot op de grond, maar toen ik wakker werd was die gewoon warm, wat verbazingwekkend leek. Ik keek op mijn horloge, het was vijf uur, veel later dan ik had gedacht. Toen mijn hoofd helder genoeg was, stond ik op en keek naar buiten.

Daar lag Idaho, kilometers lager.

De lucht was donker en dreigend laag, maar het land was naar alle kanten schitterend wit. Zelfs het sombere groen van de dennenbomen was met wit bedekt, zodat het op een omgekeerd landschap leek, met de lichte hemel beneden en de donkere aarde boven. Ik kon duidelijk de route van het pad van Bosbeheer zien. Een koel soort vreugde welde in me op. Ik zou toch blijven leven. Ik herinner me ergens gelezen te hebben dat het pure overleven, het overleven tegen elke prijs, de ethiek was van de kankercel. De vreugde die ik voelde was van dezelfde aard: ik had de elementen verslagen. Ik had gewonnen. Ik had. Ik. Ik. Ik.

Ik trok de overschoenen over mijn laarzen. Slim van me dat ik die had meegenomen. Mijn verspreide bezittingen gingen terug in mijn rugzak en ik verliet mijn rustplaats met een vreemd gevoel van heimwee naar dat kamertje van aarde, naalden en boombast, alsof daar iets was gebeurd.

De dag had nog één verrassing voor me: een paar stappen bij mijn schuilplaats vandaan, niet meer dan tien meter, stuitte ik in de sneeuw op de onmiskenbare sporen van een Amerikaanse haas en zijn roofvijand, de lynx. In het schone, ongerepte wit van de sneeuwvlakte stond duidelijk het verhaal geschreven: de ren van de haas naar dekking, de lynx, die van boven kwam en de hoek verkleinde, tot de twee lijnen van de sporen op een bloederig stuk sneeuw samenkwamen. Een paar witte plukken vacht waren het enige wat er van de haas over was. Een enkelspoor van pootafdrukken liep ervan weg. Als ik wakker was geweest, als ik tussen de dennentakken door had gekeken, had ik het dier eindelijk gezien. Ik had een snijdend gevoel van verlies, als een verlaten minnaar. Ze was vlak bij me geweest, mijn prooi, mijn liefde, en ik had haar op een paar minuten na gemist.

Ik wist binnen een uur en zonder verdere problemen naar de pick-up terug te komen. De wagen startte meteen. Het was kwart over zes. Ik had drie berichten op mijn mobieltje.

Ik zette de motor weer af en luisterde naar de stilte overal om me heen. Er kwam wind over de sneeuw die met een overweldigend zacht geruis door de naalden van de dennenbomen blies. Het schemerde, de hemel was nog steeds donkerder en zwaarder dan de aarde. Ik wilde blijven. Het was niet te laat. Ik had een stel droge kleren achterin liggen, een kacheltje, een paar met vilt gevoerde Pac Boots om in de sneeuw te staan. Hier hoorde ik thuis, buiten in de wind, tussen de rotsen en de bomen. Er was die dag iets gebeurd, of bijna gebeurd. Ik wist niet precies wat. Ik rilde een beetje, mijn kleren waren nat van het lopen door de diepe sneeuw. Ik wist wat verstandig was: de auto starten, de berg af rijden. Ik zou geen werk meer gedaan krijgen. En er was me genoeg over onderkoeling verteld om te weten hoe dodelijk dat kon zijn. Een paar verkeerde beslissingen, een centimeter of wat naar links of rechts en de blauwlippige dood kon je overvallen. Ik had die dag al genoeg verkeerde beslissingen genomen. Ik wist wat ik zou moeten doen.

En toch bleef ik, terwijl de lucht zwart werd, terwijl de wind langzaam de openingen tussen bomen vulde met stuifsneeuw. Ik wachtte in het donker en luisterde. Ik wist dat er niets voor mij zou komen maar toch wachtte en luisterde ik. Ik hoorde de wind door de bomen. Ik hoorde een stilte zo weids dat die de hemel vulde. Ik hoorde een tak knappen onder het gewicht van de vers gevallen sneeuw. En één keer, net na het invallen van het donker – ik kon het niet met zekerheid zeggen –, maar ik dacht dat ik voetstappen hoorde.

Verbrande schepen,
gebroken glas

Rossbach zag haar eerst bij toeval. Hij had naar de Gezond Leven-bijeenkomst gemoeten, maar dat ging hem die middag te ver. Daarom was hij gaan wandelen in de canyon achter de Ranch, op het heetst van de dag, wat door de staf werd afgeraden. Het was rond de 35 graden en de zon beukte neer vanuit een wolkeloze, strakblauwe hemel. Eerst was de woestijn kaal, verdord door de hitte; maar een paar kilometer verder, ongeveer een uur later, begon hij vanuit zijn ooghoeken van alles op te merken, hagedisjes die voor zijn voeten wegschoten, de geur van een of ander kruid, en achter een rots zelfs een groen waterpoeltje, waaromheen zich iele bomen verdrongen, die hij pas na goed kijken als platanen herkende.

Op de terugweg naar beneden in de eerste koelte van de avond, met lengende schaduwen op de platte, gebroken rotsen, had hij ergens een afslag van het pad gemist en bleek hij zich opeens aan de verkeerde kant van de canyonbodem te bevinden. Het was een steile helling, een droge waterval, en hij had weinig zin daar omlaag te klauteren. Maar hij zag het ook niet zitten om de heuvel weer op te klimmen. Hij was verdwaald. Maar er was

geen reden voor paniek. De canyon kon alleen maar bij
de Ranch eindigen. Die sloot het eind van de kloof helemaal af en stond als een dam tussen de lege woestijn en
de drukke, helverlichte buitenwijken. Rossbach was ervan overtuigd dat het pad niet voor niets aan de andere
kant liep, maar had het gevoel dat hij toch naar beneden
kon komen.

Geschramd, gestoken, zwetend, bang, een keer be-
dreigd door een ratelslang en een keer door wat hij aan-
zag voor een troep wilde, flink stinkende dwergvarkens,
kuierde hij veertig minuten later naar de achterzijde van
de Ranch. Bang maar opgetogen. Hij had de woestijn
verslagen, die vijfenveertigjarige Rossbach. Dik, maar
onverschrokken. Hij was er bijna zeker van dat hij een
gilamonster had gezien.

Toen zag hij haar.

Ze lag voorover op een platte, gecapitonneerde bank
in een kleine openluchtcabaña of ramada of hoe ze dat
hier ook noemden, zo'n ronde open hut met lemen zui-
len en tegels. Water sijpelde uit een blauw betegelde fontein. Beneden in de stad was de middag nog intens
warm, maar hier voelden ze de eerste schaduw van de
avond en begon het af te koelen al straalden de rotsen
nog hitte uit. De lucht was blauwig.

Haar bovenlijf was bloot en haar onderlijf vermoede-
lijk ook, al was dat met een handdoek bedekt. Haar gezicht was naar hem toegekeerd maar haar ogen waren
dicht – een leuk gezicht, fijne trekken, bleek. Haar haar
was recht in de nek afgeknipt. Blond, bleek, levenloos.
Een forse vrouw met een Maya-gezicht legde op zorgvul-

dig afgepaste afstanden gladde zwarte stenen op haar blanke ruggengraat. De stenen kwamen glimmend zwart en nat uit een warme emmer. Rossbach vond haar eruitzien om op te eten, als een hapje vooraf. Haar versierde lichaam. Hij stond op een meter of zes van haar naakte lichaam naar haar te kijken. Hij was op zijn gemak. Niemand zou hem daar verwachten. Er waren verschillende soorten vrouwen hier op de Ranch en Rossbach vroeg zich af tot welke soort zij behoorde: geen filmster waarschijnlijk. Goldie Hawn was hier een week voor hij kwam geweest, hoorde hij van iedereen. Dit meisje – deze *vrouw* – leek hem te jong, te aantrekkelijk en te intelligent om beroemd te zijn.

Rossbach hield van vrouwen, hield ervan ze te typeren, in te delen en te klasseren naar de soorten die hij leuk vond en de soorten die hem leuk vonden. Bloot was een goed begin. Hij hield van bloot, zou hij gezegd hebben als er iemand was geweest om het tegen te zeggen. Eigenlijk was hij laf geworden door huwelijk en drank en kwam hij nooit verder dan kijken, praten en flirten.

Er waren een paar hoofdcategorieën vrouwen hier: het type filmster of puissant rijke vrouw dat er van zes meter afstand fantastisch uitzag, maar rampzalig van dichtbij; de fitnesskampioenes met gezicht en achterwerk strakgetrokken als kerststrikken; de waggelende eendjes, vrouwen en dochters van Midwesterse en voorstedelijke welgestelden; en ten slotte de enkele achter zonnebrillen, die net als Rossbach hier waren om met een probleempje af te rekenen. Rossbach probeerde haar lichaam en haar gezicht te construeren uit wat hij kon zien

door de open ingang van de cabaña, maar zonder veel
succes. Wie ben je? vroeg hij zich af. Blote vrouw, wat
zou je voor me kunnen betekenen?

Hij was hier nu anderhalve week en had nog anderhalve week te gaan.

Zijn laatste borrel – borrels, vele borrels – had hij op
de heenweg aan de luchthavenbar in Salt Lake genomen.

En opeens deed ze haar ogen open en keek ze hem
recht in het gezicht. Rossbach voelde een schok, hij was
betrapt, maar haar leek het niet te deren. Het was alsof
ze hem niet zag en even later vroeg hij zich af of dat zo
was. Ze lag daar zo loom. Geen van de zwarte stenen had
ook maar een millimeter bewogen. Misschien had ze
haar bril niet op of haar lenzen niet in. Blind, vertede-
rend. Dit was het soort vrouw waar Rossbach van hield.
De Maya-vrouw waste haar handen en rekte zich uit. Ze
bereidde zich voor op iets anders. Na een lang ogenblik
zuchtte de blonde vrouw en sloot weer haar ogen en de
Maya-vrouw legde voorzichtig, zachtjes haar handen tegen beide zijden van haar nek.

Hij zag haar de volgende ochtend bij het ontbijt opnieuw. Hij vroeg zich af hoe vaak hij haar had gezien
zonder haar op te merken. Er was niets mis aan haar, ze
was op een aparte manier zelfs mooi. Maar ze was gewoon zo'n doktersvrouw, aantrekkelijk en beschaafd,
matig met eten en drinken, gezond van lichaam en geest.

Bij de ochtendwandeling liep hij toevallig achter haar.
Ze waren al om zes uur opgestaan! Helemaal in de canyons omhoog geklommen! Dat meisje vlak achter de
gids, Rossbach was er bijna zeker van dat hij haar in een

tv-film had gezien, wat vreemd was, want hij keek maar zelden tv-films, behalve om drie uur 's nachts en die bleven hem nooit bij. Het blonde meisje voor hem was in het echt eigenlijk leuker. Het tv-sterretje had het soort uitgehongerde, uitvergrote gelaatstrekken waar de camera gek op was, maar dit meisje, dacht Rossbach, was niet zo fotogeniek; een voller gezicht, bredere heupen, ze zou er op de tv mollig uitzien. Haar neus was ook een beetje krom. Zoiets hadden die anderen allemaal laten wegwerken.

'Ik verveel me,' zei hij tegen haar, toen ze halt hielden voor hun drinkpauze.

'Logisch,' zei ze. Ze scheen zich aan hem te ergeren, misschien omdat hij naar haar achterwerk had gekeken. Vrouwen weten zoiets, en ze houden er niet van. Ze zei: 'Wat had je dan verwacht?'

Ze stonden in een klein amfitheater van rotsen, opgeluisterd met agaveplanten en beschaduwd door kandelaarcactussen, een zanderige oase. Het was nog ochtend, nog koel.

'Ik verwachtte eerlijk gezegd niet zoveel,' zei hij.

'En nu heb je het,' zei ze, 'en moet je nu jezelf zien.'

'Mezelf zien?' zei hij.

'Je kunt altijd weggaan.'

'Ach,' zei hij. In werkelijkheid kon dat niet. Er was hem genade voor recht geschonken, maar in ruil daarvoor had hij beloofd zich te leren beheersen. Ongevallen en voorvallen. Hij woonde in een kleine stad in Montana, een stad waar iedereen alles wist. Hij zei: 'Ik heb het veel te leuk om weg te gaan.'

'Dat zie ik,' zei ze. Ze grinnikte, sloot haar waterfles en begon een gesprekje met de slanke vrouw naast haar, een blondine met een droef spaniëlgezicht, zodat Rossbach niemand had om mee te praten. Wat voor oord was dit? Een bezoeking, een straf. Hij was tot nu toe vijf kilo afgevallen volgens de Detecto met de schuifgewichten in de evaluatieruimte. Hij had een heldere blik en een helder hoofd en sliep als een beer in de winter, afgezien van de dromen die hem in technicolor bestormden. De afgelopen nacht was hij midden in een picknick op het gras met Johnny Cash en Merle Haggard wakker geworden. De toekomst doemde als een lichtende vlek voor hem op.

Hij had inderdaad gedronken, maar niet zóveel. Het was een vergissinkje, gewoon een avond die iets langer uitliep dan hij had gewild, een zakendiner in de Depot – een kwestie over delfstofrechten, een landeigenaar die ze probeerde terug te kopen – eigenlijk meer een kans op biefstuk en rode wijn, kletsen met een oude kennis van Stanford, daarna een afzakkertje in de bar van het Hilton waar zijn vriend logeerde. Het was niet eens zo laat geweest toen hij op huis aanging, iets na twaalven. Maar het had gesneeuwd terwijl ze in de bar zaten, geniepig gesneeuwd. En misschien had hij inderdaad onderschat hoe glad de straten waren: het was bijna maart, bijna lente, hij had er niet op gerekend dat de verse sneeuw zo pakte op het bevroren wegdek... de bocht om en vloeiend als een droom schoof de Landcruiser (met vierwielaandrijving en Zweedse sneeuwbanden) onder hem vandaan, een keer helemaal in het rond, en vervolgens tegen de Expedition die op de hoek geparkeerd stond...

Als het legaal was geweest zou Rossbach het meteen weer doen, zo'n vloeiende glijpartij, dat volledige controleverlies, die totale verrassing en dan dat kabáál. Hij hield van het geluid van brekend glas.

En voor hij het wist zat Rossbach in Arizona voor een halfleeg bord in de eetzaal te kijken naar de blonde vrouw en dacht hij terug aan haar blote lijf, aan dat rijtje zwarte stenen... Het vlees was kennelijk kip onder een soort glazuur, gegarneerd met schijfjes wilde paddenstoel en wortel. In de Routekaart naar Verandering stond dat de ideale portie vlees ongeveer zo groot was als een pak speelkaarten en sindsdien had hij steeds het gevoel dat ze hem het ene pak na het andere voorzetten, geglazuurd, gestoofd, gebakken, gegrild, met pistoolkolven geslagen en aan een stoel gebonden... Een biefstuk, dacht hij, een bord vol entrecôte, en een Napa cabernet, of misschien een Ridge zinfandel.

De blonde vrouw stond op en kwam de zaal door. Eerst leek het te mooi om waar te zijn, maar nee, ze liep recht op hem af, ze wilde echt met Rossbach praten. Ze boog zich naar voren en sprak rechtstreeks en zachtjes in zijn oor.

'Zit niet zo naar me te staren,' zei ze.

Rossbach voelde het bloed naar zijn gezicht stijgen. 'Neem me niet kwalijk,' zei hij, 'ik...'

'Geen punt,' zei ze. 'Ik zie je na het eten, ik vind je wel. Kijk alleen niet zo naar me. Het loopt in de gaten.'

Ze richtte zich weer op en glimlachte zakelijk, alsof ze zojuist een alledaags stukje informatie, een feitje of afspraak had doorgegeven. Hij glimlachte zakelijk terug. De eetzaal verviel weer in zijn gedempte, kalme routine.

Twee uur later lagen ze uitgestrekt op het eenpersoonsbed, te klein voor hen tweeën, in het schemerige licht van haar uit natuursteen en kaal hout opgetrokken cel, die van elke versiering, luxe, en zelfs comfort was ontdaan. Rossbach nam aan dat dit deel uitmaakte van de attractie, een van de redenen waarom je hier kwam: om weg te zijn van je al te gemeubileerde, al te comfortabele leventje. Hij vroeg zich af of het mogelijk zou zijn die vrouwen te laten betalen om greppels te graven of bielzen te leggen. Rossbach had zelf eens een zomer aan het spoor gewerkt en de roze nieuwe huid onder de blaren stond hem nog levendig bij. Nee, dacht hij. Je moest er slank en je moest er mooi van worden en het moest de illusie wekken van lijden zonder enig werkelijk lijden.

Karen – ze heette Karen – bevrijdde zich uit zijn benen, liep in het maanlicht van Arizona naar het andere eind van de kamer en rommelde daar wat. Hij had geen idee waarom, tot ze terugkwam met een sigaret.

'Je bent echt een mooie meid,' zei hij.

Ze haalde haar schouders op en stak haar sigaret aan. Rossbach zag iets hards, iets bitters in haar gezicht bij het licht van de lucifer.

'Iedereen is hier mooi,' zei ze.

'Welnee.'

'Behalve degenen die het niet zijn,' zei Karen. 'Mensen zoals ik.'

'Wat zei ik nou net?'

'Dat heb ik wel gehoord,' zei ze. 'Ik bedoel, er zijn hier

filmsterren. Fotomodellen. Mensen die geld verdienen met hun uiterlijk.'

'Oké,' zei hij. 'Voor een normaal mens zie je er fantastisch uit. Zo goed?'

Hij dacht dat ze maar een spelletje aan het spelen waren, maar zag toen dat het haar ernst was. Ze stak haar handpalm naar voren om hem af te weren, nam een trek van haar sigaret en in het gestreepte licht van de gloeipunt zag hij dat ze huilde. Rossbach wist niets te zeggen, niets te geven. Hij trok haar naakte schouders tegen zijn borst en ze liet het gebeuren.

Na een tijdje snoot ze haar neus en zei: 'Het gaat niet om jou.'

'Nou, een hele opluchting.'

Ze lachte: gespannen, bitter. Ze zei: 'Vertel.'

'Best.'

'Jij doet dit dus.'

'Wat?'

'Dit,' zei ze. Ze maakte een gebaar: bloot, bed, zij tweeën. Hij kon haar lichaam net onderscheiden in het flauwe maanlicht, maar haar gezicht was een vlek. Het was nog niet eens tien uur.

'Niet echt,' zei hij.

Ze lachte, weer niet vrolijk. Ze vroeg: 'Wat doe je hier dan?'

'Ik? Officieel mijn leven op orde brengen. Me voorbereiden op de volgende fase. En jij?'

'Ik moest er even tussenuit,' zei ze.

Hij kreeg meteen een opwelling om weg te lopen. Hij zag haar leven zoals ze het misschien zelf zag: onbeduidend en vervangbaar. Ze zou wel problemen hebben en Rossbach zou moeten luisteren als ze erover begon: haar slapeloosheid, haar gemengde gevoelens over haar man, zelfs haar best bewaarde geheim, dat ze bang was niet genoeg van haar kinderen te houden. Hij wist niet of ze kinderen had of niet. En Rossbach had dit eigenlijk niet vaak genoeg gedaan om uit ervaring te kunnen spreken. Toch voelde hij een soort irritatie, niet in het kijken naar haar – ze was nog steeds mooi in het maanlicht – maar in de stilte die tussen hen hing, de rusteloosheid.

'Ik ben hier de afgelopen winter met mijn schoon- moeder geweest,' zei ze. 'Kun je nagaan. Ze is min of meer van jouw leeftijd, maar wilde doorgaan voor zus- sen. Niet dat ik iets tegen jouw leeftijd heb. Ik vond het heerlijk, heel gek hoe heerlijk ik het vond. Ik had er he- lemaal niets van verwacht. Alleen het klimaat, de warmte en lekker in mijn vel zitten. Snap je? Ik zit niet lekker in mijn vel, niet echt, ik zit vooral in mijn hoofd. En toen ik thuiskwam was het een probleem. Het probleem was een beetje dat ik zo verzot was op deze plek. Het voelde alsof de zomervakantie was afgelopen. Opeens was ik te- rug in Kettering, Ohio. Ik praat te veel, hè?'

'Het gaat best.'

'Dat doe ik altijd, ik praat maar en praat maar, net zo- lang tot ik iets helder krijg. En op dit moment voel ik me heel vreemd, snap je? Het ligt niet aan jou. Ik vind je een mooie man, eerlijk waar. Ik voel me alleen zo vreemd, alsof ik zelfs niet mezelf ben. Ik voel me een vreemde in mijn eigen vel.'

'Ik kan weggaan als je wilt.'

'Misschien is dat beter,' zei ze. Ze maakte zich los, stond op en liep naar het open raam, drukte haar sigaret uit in een open spablikje. Ze had de dure kamer, de enige die uitkeek over de open woestijn, weg van de stad, weg van de rest van de Ranch. Kabouteruilen, ratelslangen, prairiewolven bekeken haar naaktheid, samen met Rossbach.

'Ik ben niet honderd procent,' zei ze. 'Ik wil je niet kwetsen.'

'Je kwetst me niet,' zei hij; al had ze dat al gedaan, een onbeduidend tegenvallertje. Een deel van hem had met een ander lichaam naast zich willen slapen, haar kleine, fraaie lichaam. Een deel van hem had dit verwacht.

De volgende avond troffen ze elkaar weer na het eten en gingen een uur lang terug naar haar kleine cel.

Rossbach voelde vanbinnen iets vreemds gebeuren, iets nieuws dat naar buiten probeerde te komen. Zijn *chi*, zo noemden ze dat hier. Zijn *chi* zat goed in de knoop volgens Hope, de lerares Chinese geneeswijzen en Alexandertechniek. Hij was van zijn aders tot zijn haarvaten geblokkeerd. Door de acupunctuur en massage begon er het een en ander los te komen, zei ze, en misschien begon Rossbach erin te geloven. Zeker als hij met Karen vree voelde hij zich soepeler en vol energie, misschien door al die gezonde lucht en lichaamsbeweging en het niet-drinken, maar het kon ook zijn dat zijn *chi* weer begon bij te komen. Eigenlijk wist hij niet wat het was. Toen hij naar de Ranch kwam, was Rossbach ervan uitgegaan dat hij zijn straf zou uitzitten, zich netjes zou gedragen, zich gedeisd zou houden totdat de hele affaire was overgewaaid en hij weer zichzelf kon zijn. Rossbach mocht zichzelf wel, de voorsteven van zijn buik, de levenslust van zijn snor. Hij dronk graag en vond dat hij er goed in was, het bracht de lach in hem naar boven, en die was op een andere manier soms moeilijk te vinden. Rossbach had nooit serieus een leven zonder drank overwogen.

Maar de afgelopen paar dagen – na anderhalve week kuren en Karen steeds aan de rand van zijn gezichtsveld – had hij het gevoel dat er een ander leven, een andere mogelijkheid zou kunnen zijn. Naakt op de mat liggen, terwijl een potige meid zijn schouders kneedde en dan zijn middenrug en ruggengraat. Dan voelde hij iets vrijkomen, giffen uit zijn lichaam trekken. Hij miste de katers niet erg, noch het aangeschoten ouwehoeren. Er was iets in zijn lichaam gaande, een of andere kracht of energie, misschien hadden die Chinezen gelijk. Als hij met haar was voelde hij het, een kracht of energie die ontstond op een plek halverwege zijn navel en zijn pik, een plek diep onder de huid van zijn buik. Hij voelde zich levend en alert als een man die wakker wordt en merkt dat zijn huis in brand staat.

Die derde avond zei ze tegen hem: 'Toen ik hier voor het eerst was met mijn schoonmoeder, was ik zo jaloers. Er vormden zich allemaal stelletjes die de bosjes in doken. Op het laatst zat ik hier met haar en een stuk of zeven oude dames canasta te spelen.'

'Niemand heeft hier ooit canasta gespeeld.'

'Hoe weet je dat?'

'En er is hier ook nooit iemand oud geweest. In ieder geval niet op drie meter afstand.'

'Jij weet alles, hè?'

'Misschien wel.'

Ze sloeg hem op zijn wang, het leek speels, maar was harder dan nodig was geweest. Misschien harder dan ze had bedoeld. Het deed pijn.

'Ik probeerde je iets duidelijk te maken,' zei ze. 'Bazige mannen, bazige bazige mannen. Wat heb ik toch met bazige mannen?'

Hij sloeg haar op haar blote billen, zo hard dat het een beetje gloeide.

'Waarvoor was dat?' vroeg ze.

'Wraak,' zei Rossbach. 'Ik ben goed in wraak.'

'Zo blokkeer je weer helemaal,' zei ze. 'Hope heeft me er net van alles over verteld. Door woede raakt alles opgekropt, gaat het vastzitten op de verkeerde plekken. Je *chi* raakt helemaal geblokkeerd in je hoofd en dan krijg je kanker. Geloof jij al die onzin?'

'Dat hoef ik niet,' zei Rossbach. 'Ik doe het gewoon en ik voel me er beter bij.'

'Ah,' zei ze, 'het wetende lichaam.'

De avond erna, zaterdagavond, was Karens laatste op de Ranch. De volgende dag zou ze terug zijn in Kettering, Ohio. Ze glipten uit de Ranch weg – wat even makkelijk was als een taxi bellen, niemand lette erop – en gingen naar de Hacienda del Sol, het Huis van de Zon, waar ze in een witte adobe eetzaal onder roodfluwelen gordijnen en portretten van Mexicaanse hoogwaardigheidsbekleders zaten. Thuis en niet-thuis, dacht Rossbach. Na lang wikken en wegen bestelde hij de cowboy T-bonesteak en een fles Duckhorn Rector Creek cabernet.

'Een ogenblikje nog,' zei Karen tegen de ober. Hij ging de wijn halen en zij bleef op het menu turen door haar modieuze, kleine zonnebril. Ze was, dacht hij, in wezen een ernstig type. Bij kaarslicht zag ze er veel jonger uit, een beetje onzeker, een beetje ongemakkelijk. Zonder van het menu op te kijken, zei ze: 'In een tent als deze heb ik soms het gevoel dat het allemaal roomboter is, dat ik kan bestellen wat ik wil, maar altijd een pak roomboter op mijn bord krijg.'

'Daar komen we ook voor.'

'Soms klinkt het beter dan anders. Ik was hier best tevreden mct mezelf.'

De ober kwam terug met een fles en een doek, voerde het ritueel op van de scalpering, de ontkurking en het heilige nipje. Karen keek naar hem toen hij het glas naar zijn lippen bracht. Hij rook de alcohol erin, net aftershave. Het was alweer twee weken geleden. De wijn zelf was inktachtig en tanninerijk, nog te gesloten, maar zou nog openbloeien.

'Prima,' zei Rossbach en de ober schonk hun beiden in. Karen bestelde de zwaardvis veracruzana. Het was vreemd om met zulke luxe omringd te zijn. Karen leek hier wel op haar plaats – haar man was een KNO-arts, ze hadden altijd in tenten met wit tafellinnen gegeten – en tegelijkertijd vreemd. Hij was gewend haar te zien tegen de achtergrond van bruingele rotsen, het geluid van druppend water. Hij was gewend haar naakt te zien.

'Je ziet er goed uit met kleren aan,' zei hij.

'Ha!' zei ze. 'Een compliment, veronderstel ik.'

'Ik wil niet dat je weggaat,' zei hij.

Maar het klonk te veel als iets wat hij hoorde te zeggen, een tekst uit het boekje, zodat ze zich allebei geneerden. Ze spreidden hun servetten op hun schoot. Ze keken om zich heen naar de andere gasten, naar de kleine, door de eetzaal omsloten binnenplaats met grindpaden en droge fontein.

'Je vindt de wijn niet lekker,' zei ze.

'Hij moet nog wat openbloeien,' zei hij. 'Hij moet wat ademen.'

Ze nipte aan haar glas en trok een gezicht. Hij was leerachtig, strak, vol tannine, wrang.

'Jij vindt hem niet lekker,' zei Rossbach. 'We kunnen een witte voor je nemen als hij straks langskomt.'

'Voorlopig red ik me wel met water,' zei ze.

Ze waren vreemd voor elkaar, mensen die hier niet bij elkaar hoorden. Het kwam door de zaal of het eten of de wijn. Ze zou straks gewoon naar huis gaan en Rossbach ook, al duurde dat nog ruim een week. Het was vreemd dat hij zo in zijn element was en toch niet op zijn plaats. Rossbach hoorde hier thuis, hij wist het. Hij voelde het alleen niet op dit moment.

'O jezus, Bill,' zei Karen.

'Wat?'

'Er is nergens op deze hele aardbol een plek voor ons, hè?'

Rossbach had er geen antwoord op. Het was gek, hij wist dat hij ouder was met meer levenservaring, hoewel niet bepaald wijzer – je kon Rossbach niet met een stalen gezicht wijs noemen – en hij had haar iets moeten kunnen leren, vertellen. Maar hij kon bij zichzelf niets vinden dat goed voelde en viel terug op zijn gevatheid. Hij zei: 'We hadden rauwe worteltjes kunnen eten op de Ranch.'

'Dat is niet wat ik bedoel.'

'Even naar die laatste *Waar is de vreugde*-sessie?'

'Niet zo sarren.'

'Dat probeer ik ook niet.'

Plotseling vrolijkte ze op, de bui was overgedreven. 'Je lijkt me niet het soort man dat het hoeft te proberen,' zei ze. 'Sarring schijnt je heel makkelijk af te gaan.'

'Sarring,' zei hij. 'Mooi woord.'

'Ik was goed in taal,' zei ze.

'Maar toch,' zei hij. Rossbach proefde opnieuw van de wijn: nog steeds strak, een onplezierige combinatie van leer en inkt. Er was brood en echte boter. Overal om hen heen sprankelde de conversatie, terwijl zij hun teugjes water namen. Hij zei: 'Je moet een keer naar Montana komen. Kom in de zomer, het is daar 's zomers ontzettend mooi.'

'Dat zou geweldig zijn,' zei ze. 'Dan kan ik kennismaken met je vrouw.'

'Het was maar om iets te zeggen.'

'Ik weet het,' zei ze. 'Om er nog iets van te maken.'

'Heb je een slechte bui?'

'Ik weet niet wat ik heb. Geen rust in me, geloof ik. Morgen zit ik weer in Ohio. Ben je wel eens in maart in Ohio geweest?'

'Dat kan niet erger zijn dan Montana.'

'O, jawel.'

'Al die hondenpoep die de hele winter in de sneeuw

heeft gelegen,' zei hij. 'Die ontdooit in één klap in alle tuinen. Bovendien is iedereen helemaal hartstikke knetter van de hele winter binnen zitten.'

'Boffen wij even,' zei ze. Rossbach wist niet hoe ze dat bedoelde.

Net op dat moment kwam de ober en ze schoten allebei in de lach. De cowboysteak zag eruit als een walvisvin of een gefileerde arm, die over de randen van een breed ovalen bord flapperde en aan de veracruzana zou een gezin van vier personen meer dan genoeg hebben gehad. Een tweede ober kwam met een tweede schotel met bijgerechten voor Rossbach, zijn mierikswortel en friet op een apart bord. Het was net een droom van voedsel, een concert waarbij je zonder kleren op het podium stond en ook nog eens de muziek niet kende. Rossbach had geen flauw idee wat hij moest doen.

Hij nam een hapje en het was vettig, aangebrand en rokerig, smerig van overdaad.

De lieve Karen lachte hem uit en ze had gelijk, ze had gelijk dat ze lachte.

'Wat wil je?' zei ze.

'We zouden weg moeten gaan,' zei hij. 'Wil je dat? Ik vind dat we moeten gaan.'

'Best,' zei ze. 'Nee, uitstekend.'

Veertig minuten later waren ze in de canyon achter de Ranch, en liepen onder de maan de open woestijn in. Het was hier zo helder! Het maanlicht wierp scherpe schaduwen op de rotswanden van de canyon, de stekelige honderdjarige aloë's en de grote mensachtige kandelaarcactussen. Het deed Rossbach denken aan het nacht-bij-dageffect uit de cowboyfilms van zijn jeugd, Roy en Dale die over een pas vol cactussen slopen om de veedieven de weg af te snijden. Rossbach had zijn restaurantkleren verwisseld voor robuuste canvas schoenen en een korte broek maar Karen had haar jurkje en gympen nog aan. Hij liet haar voorop lopen, zodat hij haar kon opvangen als ze uitgleed, wat om de haverklap gebeurde. De koele wind blies door de canyon, vanuit de hoger gelegen bossen, de bergen die helemaal oprezen tot aan het stromende water en de pijnbomen.

Ze kwamen bij een rotsblok ter grootte van een auto, of nog groter: een ronde, gladde koepel op een kleine helling. De voorkant was glad, ongenaakbaar, maar tegen de achterkant waren een hoop losse keien gerold en daar konden ze erop klimmen. Opmerkelijk hoe glad de rots van boven was, jaren, eeuwen door water geslepen. Hoe lang had deze rots daar op hen liggen wachten? De sterren cirkelden als gedresseerde bijen boven hen. De lichtstad lag kilometers beneden hen, als het duivelspact dat het was. Rossbach moest lachen bij de gedachte aan al dat kostbare eten en Karen lachte omdat ze het raadde. Het andere opmerkelijke aan de rots was hoeveel hitte van de dag hij nog vasthield, hij voelde warm aan. Warm en glad. Er waren hier geen voyeurs – die zouden ze hebben gehoord – en ze konden hiervandaan nergens heen, behalve terug naar de Ranch, de stad, de luchthaven, hun gescheiden levens...

Karen lag boven op hem en hij wilde voorzichtig met haar zijn, maar de kleren die hij had uitgespreid waren in alle hectiek weggegleden en ze schaafde haar knie aan de rots. Bloot en in kleermakerszit probeerde ze de wond bij het maanlicht te bekijken. Maar geen van beiden kon meer zien dan een straaltje zwart bloed dat omlaag droop.

'Dat wordt nog lastig uit te leggen,' zei ze, terwijl ze de plek voorzichtig betastte.

'Je bent gestruikeld tijdens een wandeltocht,' zei hij. 'Je bent op een steen gevallen.'

'Precies,' zei ze. 'Dat was ik vergeten. Jij liegt gewoon.'

'Neem me niet kwalijk,' zei hij.

'Nee, het is alleen...'

Ze wuifde het gesprek met haar hand weg, rommelde in haar kleren en vond haar sigaretten en haar Bic-aanstekertje. Ze zag er vreselijk uit toen ze opstak, een gezicht van ouwe lappen. Een gezegde van zijn grootmoeder.

'Niet dat er met jou iets mis is,' zei ze. 'Ik klaag niet. Het is alleen, ik weet niet, gewoon een mislukking. Ik hoor dit niet te willen.'

'Maar dat doe je wel.'

'Ja?'

'Waarom ben je boos op me?'

'Ik ben niet boos. Ik kan boos zijn zonder boos op jou te zijn.'

Ze trok zo verwoed aan haar sigaret dat de ruimte tussen hen oplichtte door het oranje schijnsel van de gloeiende punt, de maanverlichte weelde van haar huid. Rossbach zelf voelde zich stevig en slank na twee weken hier, strak en soepel. Lichamen en lichamen. Ze was gekomen met de verwachting juist dit te doen, een avontuurtje, een week weg en een lichaam dat niet van haar man was. Zo had ze het min of meer gezegd. Nu scheen ze zich aan hem te ergeren. Dat was niet eerlijk, niet terecht, maar Rossbach verwachtte geen eerlijkheid van haar. Hij was dat gevoel van onterechtheid gaan accepteren als de prijs die hij moest betalen voor het gezelschap van vrouwen. Het waren geen redelijke, maar wel heerlijke wezens.

'Je kunt er niets aan doen,' zei hij. 'Je wilt wat je wilt. Het is niet ingewikkeld.'

'Totdat het het wordt.'

'Zo is het.'

De volgende morgen was ze weg. Het luchthavenbusje vertrok om kwart over vijf; Rossbach was nog wakker, hij hoorde de banden in het grind toen ze vertrok. Karen had ook niet geslapen. Hij voelde zich een dubbelganger van zichzelf. Niet alleen moe, al was hij nog nooit zo moe geweest. Maar om hier zonder haar te zijn met al die zombies in maillot. De hele dag vocht hij tegen een gevoel van onwerkelijkheid: onwerkelijk die schrale, zorgvuldig bereide maaltijden, onwerkelijk de groepsbijeenkomst, de wandeltocht langs de plek waar ze met z'n tweeën nog geen twaalf uur eerder naakt hadden gelegen en de knappe, chirurgisch verbouwde brunette uit La Jolla die met hem wilde praten. Het was een wereld waarin vleeskleurige plastic robots rondspookten.

Op zondagavond tussen vijf en acht kregen de blijvende gasten hun mobiele telefoons terug, terwijl de nieuwkomers zich installeerden. Rossbach bekeek zijn lijstje gemiste telefoontjes, zijn boodschappen en e-mail, maar er zat niks bij van Karen.

Verbrande schepen, gebroken glas

Ze moest al uren thuis zijn.

Misschien had haar vlucht vertraging gehad.

Er kwam die week bij Rossbach iets vreemds aan het licht, een kant die hij van zichzelf niet kende. Hij kon niet tegen het gezelschap van de anderen, de beleefde, in zichzelf verdiepte types, de triomfantelijke narcisten en hopeloze zwaargewichten, al dat perfecte haar en die goed verzorgde gebitten en fitnesskleding in kleuren als leer en veenmos en herfsteik... Hij ging op de ruige toer, die Rossbach. Hij hield zich afzijdig in de canyons, leerde lang genoeg stil te blijven om de ratelslangen te zien, die op elke richel lagen opgerold, in elke schaduw sliepen. Twee keer zag hij een gilamonster. Al zag hij ze geen van beide ooit bewegen en zaten ze zo dicht bij dezelfde plek – Rossbach was bijna voortdurend een beetje verdwaald – dat het een en dezelfde kon zijn geweest, die misschien nog dood was ook. Hij zag halsbandpekari's en vleermuizen, en een keer bij zonsondergang een kabouteruil boven in een grote kandelaarcactus. En ver beneden altijd de stad, onzinnig, onophoudelijk druk. En altijd aan het eind van de canyon de Ranch, sereen, duur.

Toch dronk hij niet.

Op een avond hoorde hij een televisieproducer over zijn matigheid praten alsof het iemand was die in de kamer stond. Hij zei: 'Ik had werkelijk het gevoel dat ze een gevaar was voor mijn matigheid.' En daarna was het alsof ze voortdurend met z'n drieën waren: Rossbach dronken, Rossbach droog en dan Rossbach matig. Hij nam zijn matigheid overal met tegenzin mee naartoe, als een neefje van buiten, of het kind van vrienden van je ouders, dat een weekje naar de stad komt en bij jou is gedumpt om het te vermaken... Er kwam geen eind aan de week in z'n eentje. Op woensdag nam hij een taxi naar een gigantisch, fantastisch winkelcentrum met Rolls-Royces en Ferrari's op het parkeerterrein en ging linea recta naar de Verizon-kiosk om zijn e-mail en boodschappen te checken, maar er was niets van haar bij.

Karen was weg, gewoon weg. Hij stapte een Williams-Sonomawinkel binnen en kocht een Frans geëmailleerd fornuis voor zijn vrouw. Het fornuis zelf was 8300 dollar en de bezorging zou nog eens 1300 kosten. Hij betaalde met zijn creditcard. Een kleine verrassing. Het heette La Cornue en Rossbach vroeg zich af of dat iets met een eenhoorn te maken had.

De minuten kropen voorbij als gewonde mieren. De uren, de dagen.

Eindelijk werd het zondag en Rossbach vloog met zijn matigheid naar Montana. Resoluut marcheerde hij langs de luchthavenbars. Maar toen hij boven Helena cirkelde zag hij de grauwe heuvels, de resten sneeuw en vuil, een bergbron van kou en modder en grijze luchten en hij besefte dat de tijdelijke lente, die hij zo diep in het zuiden had bezocht, voorbij was. De zomer was nog twee maanden ver, de winter allang voorbij en ertussen dit niets. Er was geen boodschap van Karen. Hij sliep bij zijn vrouw. Er leek niets te zijn om op te wachten.

Ze woonden een stukje buiten de stad, in een canyon bij een riviertje, hogerop tussen de bomen. 's Nachts als hij niet kon slapen, keek Rossbach hoe de herten uit de heuvels kwamen om uit het riviertje te drinken. De sneeuw was van het gras verdwenen, in ieder geval op de dalzool, en de herten konden weer grazen. Maar het gras was bruin en kapotgevroren en het was alsof de herten louter aan het overleven waren, schriel en skeletachtig. Ze zagen er in het maanlicht uit als schaduwen, grijs op zwart. Toch dronk hij niet.

Hij wist waar ze woonde, van welke clubs ze lid was, in wat voor tijd ze de feestloop op Onafhankelijkheidsdag had afgelegd: snel, 5 kilometer in 24 minuten. Ze had een onderscheiding gekregen van het Poliofonds. Hij zag wat volgens hem het dak van haar huis was, gezien vanuit de ruimte. Ze belde niet en stuurde geen bericht. En Rossbach evenmin.

Op een zaterdagavond in mei, een avond met bakken regen, wolken en wind, een lagedrukgebied dat binnenwoei vanaf de Grote Oceaan, zat Rossbach in het donker in de erker aan de achterzijde van het huis te wachten om te zien of de herten die nacht zouden komen en te luisteren naar het geklapper van het plastic zeil in de bries – ze hadden een deel van de keukenmuur moeten slopen om die rottige eenhoorn erin te krijgen, het slechtste idee dat hij in jaren had gehad. Het gat was provisorisch gedicht met latten en plastic in afwachting van de timmerlieden die niet kwamen. Zij zat in de oostelijke tijdzone, halfvier in de ochtend. Ze kon een beetje aangeschoten thuis zijn gekomen van een feest. Ze kon haar oorbellen hebben uitgedaan. Hij kon haar voelen, hier in het donker.

Rossbach stond op om een borrel te gaan pakken.

Allerlei sterks in de drankkast, waarom zou je het weggooien? Ze konden het schenken op feesten en bovendien, zijn vrouw hield af en toe van een slokje, meestal een glas witte wijn, maar soms gin. Zij was niet degene met het probleem. Rossbach wist, terwijl hij in de drankkast keek, dat dit een fout was. Maar het was nu te laat om te stoppen. Hij dacht: *kom maar bij pappa*.

Uiteindelijk koos hij voor een whisky met ijs. Een elegante en subtiele borrel. Precies wat hij zo had gemist.

Hij zat een paar minuten lang in de erker met het ijs smeltend in zijn glas.

Uiteindelijk leegde hij het in de gootsteen. Een week later vloog hij naar Dayton. Het was juni in Ohio, volop en glorieus lente met bloemen die uit de bedden langs opritten barstten en overal bijen. Rossbach was het vergeten. Hij was zelf opgegroeid in Michigan en het enige wat hij zich herinnerde was het vlakke, tabakskleurige zonlicht en de kleur van die gele baksteen die je overal zag. Dat, samen met vuurvliegen was zomer. Dat en vuile sneeuw. Maar deze volheid, deze luid bijenzoemende paarsroze lente was hij vergeten.

Hij reed met zijn gehuurde Camry door zijn jeugd. Het was een warme zaterdag en kinderen reden op skateboards en speelden basketbal. De stoepen en goten hadden dezelfde vuilbruine kleur als Michigan. De mannen dronken bier terwijl ze hun Amerikaanse auto's wasten. Zijn hart schreeuwde *fout, fout*, maar weer was het te laat om te stoppen.

Karen woonde in een ouder gedeelte van de stad, een straat met hoge, lelijke huizen afgeschermd door bomen, omgeven door brede gazons en diepe, schaduw-

rijke veranda's. Minibusjes en John Kerry-bumper-
stickers, een enkele monumentale villa met een Cadillac
ervoor, maar voor het merendeel Honda's en Toyota's,
kinderspeelgoed in de tuinen, compostbakken. Hier
woonden de jongeren en welgestelden. Het was vreemd
om te bedenken dat ze hier problemen hadden, dat Rossbach zelf iemands probleem was of op z'n minst kon
worden. Het was heel vreemd om te zien dat het hele
denkbeeldige leven van Karen-zonder-hem in feite werkelijkheid was en dat hij eigenlijk moest maken dat hij
naar de luchthaven terugging en deze dwaze onderne-
ming staakte nu de ene steen nog op de andere stond. Hij
begreep dat hijzelf een uitbraak van het onwerkelijke,
het chaotische vertegenwoordigde, van het droomleven
dat het leven bij daglicht verstoorde.

Hij parkeerde en wachtte tot ze naar buiten zou komen. Er stopte een ploeg Mexicaanse of Midden-Ameri-
kaanse mannen met strohoeden in een busje met aan-
hangwagen vol grasmaaiers en machines. Ze knipten en
schoren het gazon in een paar minuten tijd, het was ver-
bluffend hoe snel ze werkten. De echtgenoot betaalde ze
in de deur, maar Rossbach kon zijn gezicht niet zien.

Ze kwam naar buiten, heel Amerikaans en schoon in
pastelkleurige shorts en een roze T-shirt. Hij had medelijden met haar. Ze had lichte plukjes in haar donker-
blonde haar sinds Arizona. Hij wist dat hij gewoon weg
moest gaan, haar met rust moest laten. Rossbach was de
chaos zelve. Voor haar was hij geweld.

Hij volgde haar naar het parkeerterrein van de Fresh
Fields, maar had niet de moed om op haar af te stappen

en hij volgde haar naar binnen. Na de zonovergoten middag was het binnen schemerig en vochtig, rook het naar groenten en aarde. Ze kwam achter de stellage op de versafdeling vandaan en daar stond hij met zijn handen langs zijn lijf.

'Godallemachtig,' zei ze geschrokken.

'Neem me niet kwalijk.'

'Nee,' zei ze en ineens vloog ze hem om de hals, hing ze aan hem en begon ze te huilen, hij voelde de tranen door de stof van zijn overhemd. 'Ik had je niet verwacht,' zei ze.

'Wil je dat ik ga?' vroeg hij. 'Ik kan weggaan als je wilt.'

'Doe maar,' zei ze.

Ze maakte zich van hem los en opeens waren ze gewoon twee vreemden die elkaar aankeken op de groenteafdeling. Haar gezicht zag er niet uit. Ouwe lappen, dacht Rossbach.

'Je bent helemaal hierheen gekomen,' zei ze. 'Alleen hiervoor?'

Plotseling was hij degene die zich met lege handen voelde staan, gegeneerd. Het was niet aardig van haar, vond hij, om zoiets te vragen terwijl ze het antwoord al moest weten.

'Ja,' zei hij.

'Ik kan mijn leven niet voor je opgeven,' zei ze. 'Het spijt me.'

Toch draaide ze zich niet om. Ze stond hem op armlengte afstand te bekijken, zijn gezicht, zijn fitte, nutteloze lichaam. Al die uren in de sportschool, al dat gezonde verstand en die matiging, allemaal voor niks, dacht hij. Allemaal voor jóú.

'Oké,' zei ze. 'Ik moet nu gaan.'

Rossbach was een lul. Dat zag hij opeens heel duidelijk. Hij kwam hier voor Jan Lul. Hij dacht dat hij het had begrepen, maar dat was niet zo, niet helemaal. Gelukkig was hij ver van huis, ergens waar niemand hem kende.

'Goed dan,' zei hij. Maar hij kon zich er niet toe zetten om weg te gaan.

Zij ging ook niet weg. Ze wachtte op hem. Patstelling, dacht Rossbach. Ga nou maar.

'Karen?' Het was een lange, grote vrouw, een hardloopster zo te zien, een vriendin van Karen. Waarschijnlijk ook een doktersvrouw. 'Karen, is alles in orde?'

En dan dit, dat laatste: een lange blik, hulpeloosheid, een deur die dichtging. Hij had zich niet vergist. Er was geen hoop, maar hij had zich niet in haar vergist.

'Ja hoor,' zei ze tegen haar vriendin en ze draaide zich om en liep weg met haar winkelwagentje voor zich en haar vriendin naast zich.

Hij nam de kortste weg naar de uitgang zodat ze niet nog eens naar hem hoefde te kijken, liep het gedempte licht uit en de vrolijke bijengonzende volle lentemiddag in. Kersenbomen op het parkeerterrein bloeiden roze en sneeuwden roze en witte blaadjes op de auto's die eronder geparkeerd stonden. Rossbach zweette in zijn lange broek en nette overhemd. Jongelui zaten in het park te zoenen, gekoelde wijn uit flessen te drinken. De mannen hier in Ohio lieten hun tanks volgooien, scheurden over de boulevards in gebrul van olie, snelheid en bandenrook. Iedereen op de hele aardkloot was aan het zoenen en het neuken, iedereen behalve hij.

Rossbach kocht een fles Bombay gin, een liter tonic en drie limoenen bij de slijter in de winkelgalerij naast zijn hotel. Rossbach was een man die gehecht was aan zijn limoen. Het was zaterdag en door de gangen van de Red Lion dwaalden natte kinderen in zwempak die hun voetafdrukken op het tapijt achterlieten. Zijn kamer rook naar snelweg en chloor. De Interstate zoefde honderd meter buiten zijn raam voorbij: naar Cincinnati, Indianapolis, Columbus, Chicago. Diezelfde taankleurige of gele baksteen uit zijn jeugd overal voor zijn raam.

Vier uur.

Tegen zessen had hij nog geen besluit genomen. De ginfles stond ongeopend op de televisie, waarop honkbal aanstond zonder geluid, de Reds tegen de Mets. Zijn matigheid. Rossbach besloot zijn matigheid mee uit wandelen te nemen, maar toen hij beneden kwam vond hij het drukkend warm, zelfs in korte broek, en er was niets om naartoe te wandelen en de stank van uitlaatgassen en oliewalm hing zwaar in de lucht. Hier woonden armelui die rondreden in auto's met versleten keerringen en verrotte knaldempers. De Red Lion stond in een betonnen driehoek, met de snelweg aan de ene, een grote winkelgalerij aan de tweede en een kantoormeubelhandel en megaplexbioscoop aan de derde zijde. Ertussen lag een niemandsland van rotzooi en asfalt.

Binnen was het schoner en rustiger, maar niet beter.

Zijn retourvlucht stond geboekt voor de volgende ochtend twaalf uur, wat betekende – hij ging op de rand van het bed zitten en vroeg zich af wat hem bezielde – dat hij had gewéten dat dit een mislukking werd, dat hij zich belachelijk zou maken. Dus waarom? Het volle acute besef van lente kwam met de avondzon door het raam, de geur van bloemen en asfalt, groen gras en frituurvet. Hij liet zich achterover op het bed vallen, op het gladde polyestersatijn van de beddensprei. Hij zat goed in zijn vel en voelde zich nu jonger dan toen hij nog dronk, slanker en sterker. Hij herinnerde zich dagen op zijn zeventiende dat hij super in zijn vel zat, de lente ervan, dat wonder. Ergens vanbinnen was Rossbach nog zeventien, gesleten en gerafeld maar het groene lont in hem nog brandend, de vonk. In de war als een hond met twee pikken. Verdwaald in Ohio.

Ze kwam om halftien.

Hij wíst dat ze zou komen. Hij was zeker van haar. Alleen was hij wel in tranen toen hij haar tegen zich aandrukte, en Rossbach huilde nooit. Alleen een beetje. Een *slip of the eye.*

Ze hield hem op armlengte en keek naar hem en hij naar haar: knap, vermoeid, ouder dan hij zich haar herinnerde. Haar ogen stonden moe. Boven haar schouder, hijzelf in de spiegel – olifantsogen, de ogen van de oude Rembrandt, moe maar helder – en zij tweeën samen. De grote kolenschop van zijn hand. Wat zag zij in hem?

Iets.

Ze keek van zijn gezicht naar de fles, ongeopend op de tv. Ze zei: 'Niet gedaan, hè?'

'Nee, niet gedaan.'

'Waarom niet?' vroeg ze. 'Je had er alle reden toe.'

'Ik had er geen zin in.'

'Je wist dat ik zou komen.'

'Misschien,' zei hij. Deed toen het licht en de televisie uit, sloeg de koele lakens van het bed terug – door het open raam droeg de lucht nog uitlaatgas en rozen aan – hielp haar uit haar blouse en shorts, haar sokken en ondergoed, legde haar op het open bed, trok zijn eigen kleren uit in het avondlicht en ging naast haar liggen. Het was meer dan hij kon bevatten, hij voelde het weer uit hem overstromen, zijn *chi*, wat dan ook, naakt, verbonden.

Na afloop lagen ze naakt en kon Rossbach de aarde onder hen voelen draaien, de naakte rots. Hij zei: 'Ik ben hier niet geschikt voor. Totaal niet. Ik ben in wezen geen avontuurlijk iemand.'

'Moet je mij zien,' zei ze. 'Een doktersvrouw. Alleen maar veilige keuzes.'

'Waar ben je op dit moment?'

'Nergens.'

'Ben je gewoon weggegaan?'

'Ik wist niets te bedenken,' zei ze. 'Ik was bang dat jij weg zou gaan. Ik wist niet eens waar je zat! Ik heb in mijn auto gezeten met mijn mobieltje en mijn telefoonboek, ik heb alle hotels en motels in de stad afgebeld. Gelukkig maar dat ik zo nieuwsgierig ben.'

'Hoezo?'

'Ik heb je achternaam bij de administratie opgevraagd,' zei ze. 'Voordat ik van de Ranch vertrok.'

'Ik had je gezegd hoe ik heette.'

'Niet je achternaam. Die moest ik zelf zien te achterhalen.'

'Het spijt me,' zei hij.

'Geeft niet.'

'Nee, het geeft wel,' zei hij. Hij geneerde zich weer en zei: 'Ik ben zo'n kluns. Ik kwets mensen zonder het te willen.'

'En soms als je het wilt.'

'En soms als ik het wil,' zei hij. 'Ik ben niet bepaald volmaakt. Je dacht toch niet echt dat ik weg zou gaan, hè?'

'Ik had al nooit gedacht dat je zou komen.'

'Echt niet?'

'Ik wíst het niet.'

'Nou,' zei hij. 'Nu weet je het.'

'Ik kan niet bij mijn kinderen weg,' zei ze.

'We vinden wel een oplossing,' zei hij. En hoewel ze hem niet geloofde, kroop ze tegen hem aan, kuste zijn schouder, deed alsof ze rustte in de vallende avond, de schaduwen van zacht vlees. Rust maar uit, dacht hij, en ze sloot haar ogen. Hij dacht aan grijze spookachtige herten die naar het riviertje afdaalden om te drinken, die in het dode, bruine gras graasden. Hij dacht aan het gat in de zijmuur van zijn huis, ruw en dichtgeplakt. Dit was dat niet. Hij kuste haar kleine borsten. Door het open raam kwam het bouquet van een Midwesterse lente, benzine en rozen en teer, de geluiden van mensen die in de verte plankgas gaven, het aanhoudend suizen van de Interstate, de geluiden van brekend glas en gelach, het geluid van het leven zelf.

COLOFON

Waar het geld bleef van Kevin Canty werd in opdracht van Uitgeverij De Harmonie gedrukt door Hooiberg Salland te Deventer.
Oorspronkelijke uitgave *Where the Money Went*, Nan A. Talese/Doubleday, New York.
Typografie Ar Nederhof
Omslag Rob Westendorp

Copyright © by Kevin Canty 2009
All rights reserved
Copyright © Nederlandse vertaling Frans van der Wiel en Uitgeverij De Harmonie 2009.

ISBN 978 90 6169 893 7

Eerste druk april 2009

Voor België: Uitgeverij Manteau, Antwerpen
ISBN 978 90 223 2387 8
D 0034/2009/220

www.deharmonie.nl
www.manteau.be

De vertaler ontving voor deze vertaling een werkbeurs van de Stichting Fonds voor de Letteren.